O ADVOGADO DO CARTEL

JONATHAN D. ROSEN

Tradução por
EVIE NASCIMENTO

Publicado em 2021 por Next Chapter

Capa de CoverMint

Editado por Heloisa Miranda Silva

Imagem da capa posterior por David M. Schrader, usada sob licença da Shutterstock.com

Edição de capa dura com impressão grande

1

OUVI OS PORTÕES DA PRISÃO SE FECHAREM bruscamente quando a van do Departamento de Correções entrou na prisão federal de segurança máxima de Nova Jersey. O lugar parecia como os portões do inferno. A prisão tinha um muro manchado que separava um mundo de predadores da liberdade. Em todos os quatro cantos da prisão, guardas com rifles observavam o complexo de cima. Uma placa possuía a seguinte afirmação em negrito: "Sem avisos nesse pátio". O novo diretor havia dado permissão aos oficiais para atirar se alguém tentasse escapar ou se uma briga começasse.

A van da prisão atravessou os portões e o motorista gritou, "Calem a boca e permaneçam quietos". Eu desci vestindo meu macacão laranja. As algemas começaram a apertar e as correntes ao redor da minha cintura fizeram barulho, quando dei meu primeiro passo para fora da van. *Como diabos terminei aqui como um interno?* Eu pensei. Infelizmente, essa não era a minha primeira vez nessa prisão infernal. Na minha vida passada, visitei muitos clientes aqui, que estavam presos sob acusações federais de tráfico de drogas.

Dois oficiais penitenciários acima do peso saíram para receber os recém-chegados. "Certo, rapazes, bem-vindos à casa grande," proclamou um dos guardas. Essa não era uma prisão do colarinho branco onde banqueiros de Wall Street jogavam tênis e serviam sentenças no "clube fed". Essa era uma prisão de segurança máxima.

O outro guarda gritou sobre nossas cabeças, "Escutem aqui, internos! Como o oficial Smith falou, nós não toleramos nenhuma idiotice. Vamos nos referir a vocês como internos e qualquer que seja o seu sobrenome. Vocês irão responder sim, senhor, ou sim, senhora. Não é nada difícil."

Os novos internos da van continuaram para o processo de admissão. Um oficial gritou, "Senhores, tirem seus macacões. Vamos checar vocês para contrabando. Se algum de vocês foi estúpido o suficiente para trazer escondido drogas ou armas para dentro dessa prisão, vamos descobrir. Depois do banho, coloquem seus macacões. Nós mandamos aqui, então não tentem nenhuma gracinha."

O diretor da prisão, o Sr. Humphrey Brown, administrava o sistema prisional do Texas há três décadas. Antes de se tornar diretor, ele havia sido xerife em Amarillo, no Texas. O Sr. Brown, um homem pançudo de um metro e setenta de altura, acreditava que prisões deveriam ser projetadas para punir, e não reabilitar os infratores. O diretor Brown, com os seus chapéus de cowboy, esporas e fivela, havia deixado os confortos do oeste do Texas e se mudado para Newark, a cidade dos tijolos de Nova Jersey. Esse trabalho veio com um grande aumento de salário já que poucas pessoas queriam ser o diretor da prisão mais perigosa de Newark. O governador precisava de alguém para entrar nesse pesadelo de sistema penitenciário e sacudi-lo de cabeça para baixo. Nos últimos quinze meses, a prisão havia passado por três rebeliões e dez esfaqueamentos, incluindo um envolvendo um oficial. O clamor da mídia levou o governador a demitir o último diretor e mais quinze oficiais, que haviam se envolvido em uma série de escândalos, desde tráfico de drogas para dentro da prisão até deixar membros de gangues rivais brigarem nas celas em disputas de territórios das ruas.

Enquanto tirava minhas roupas, tomava banho e colocava o novo macacão, um oficial de admissão perguntou se eu pensava em fazer mal a mim mesmo: "Você quer se machucar? Tem estado triste ultimamente?".

Eu queria responder, "Estou vindo servir vinte e cinco anos em uma prisão federal. É, eu estou depressivo, seu idiota".

Outro oficial veterano me reconheceu e disse, "Ricky Gold. Ei, irmão. Imagina ver você desse lado da lei. Eu acho que representar canalhas e traficantes de drogas durante todos esses anos finalmente pegou você".

"Bom ver você também, oficial," eu respondi.

O oficial respondeu, "Oficial Joseph, seu imbecil, você não lê os jornais. O bonitão Ricky Gold aqui foi pego com algum cartel mexicano e trabalhou para alguns membros de gangue. Ele costumava ser um rebelde na corte".

"Bem-vindo ao inferno, Ricky bonitão. Essa não é uma prisão do colarinho branco, filho. Não estamos bancando babás dos banqueiros de Wall Street aqui," respondeu o oficial Joseph.

Fui mandado para uma cela no bloco leste. O oficial jogou um lençol e um travesseiro.

"Interno Gold! Fique calado e me siga. Vou levá-lo até a sua cela."

Se você nunca esteve dentro de uma prisão antes – bom para você – existe um cheiro constante de desinfetante, já que os internos estão sempre limpando. Prisões são barulhentas do momento no qual você entra e ouve as pesadas portas de metal se fechando atrás de você. O barulho pode ser esmagador. A ideia de ter que lidar com isso durante anos me deixou nervoso.

Meus anos como advogado criminal me ensinaram que o sistema penitenciário nos Estados Unidos evoluiu com o passar do tempo. Richard Nixon lançou a "guerra contra as drogas" dos E.U.A em 1971 e Ronald Reagan implementou a "fase moderna" da guerra contra as drogas durante os anos oitenta. O presidente Bill Clinton sancionou a Lei do Crime de 1994 com o seu famoso discurso "três chances e você está fora". Pessoas que cometessem três crimes receberiam um mínimo obrigatório de vinte e cinco anos, podendo chegar à prisão perpétua. A guerra contra as drogas resultou em um aumento da população carcerária. Hoje, existem mais de dois milhões de pessoas na cadeia ou na prisão. Os Estados Unidos prendem mais pessoas do que qualquer outro país no mundo. Nós prendemos mais pessoas do que a China, Rússia e até mesmo a África do Sul no auge do *apartheid*. Viciados em drogas de baixo escalão enchem o sistema penitenciário, o que custa aos pagadores de impostos por volta de oito bilhões de dólares por ano.

A prisão federal em Newark, entretanto, não era uma prisão na qual as pessoas serviam pena por posse de drogas ou por passarem cheques sem fundo. Essa era uma prisão de segurança máxima, com dúzias de líderes do alto escalão de cartéis que foram extraditados do México para os Estados Unidos. O interno mais famoso, o filho de Joaquín Cabrera, o antigo líder do cartel de Sinaloa, foi condenado por traficar mais de três milhões de dólares em drogas entre o México e os Estados Unidos. Os promotores de justiça nunca conseguiam condená-lo pelos assassinatos que cometia porque ninguém nunca queria testemunhar. Entretanto, a Agência Norte-Americana Antidrogas, a agência federal responsável por combater o tráfico, cooperou com o governo mexicano e ajudou os promotores a construírem um caso de sucesso contra um dos filhos do traficante de drogas mais poderoso do mundo.

Esse é o mundo no qual eu entrei. Um mundo com o qual me familiarizei trabalhando como advogado de defesa. Enquanto percorria o longo corredor, os internos batiam nas grades e gritavam, "Bem-vindo ao inferno, bonitão. Eu vou ser o seu pior pesadelo."

Outro interno assobiou e gritou, "É melhor você ficar esperto aqui, cara. Mal posso esperar pra ver você no pátio. É melhor começar a fazer algumas flexões. Tenha cuidado quando levantar pesos, cara. Eu vou te pegar, bonitão".

Eu não olhei para eles ou respondi. Prisões são

como um parquinho para os predadores. Os fracos viram alimento dos lobos e os internos farejam o medo. Amigos, esposas e outros familiares podem mandar dinheiro para os internos para a loja da cantina. Os internos mais fortes extorquem os mais fracos pelo dinheiro para comprarem doces, *noodles* e outros lanches na loja da prisão. O dinheiro também pode ser usado para comprar drogas.

As pessoas no lado de fora acreditam que prisões servem como um lugar no qual os internos podem ser reabilitados. Alguém pode achar que os internos passando por um detox de drogas terão vários anos para superar o vício através de sessões de aconselhamento e de aulas sobre abuso de substâncias. Essa prisão, assim como várias outras nos Estados Unidos, era conhecida como um epicentro para drogas e crime. Você pode conseguir qualquer droga que quiser se estiver disposto a pagar o preço. Os internos têm uma coisa sobrando nas mãos: tempo. Tempo sem fim.

A prisão de segurança máxima de Newark trouxe agentes federais para fazer a limpa depois que várias rebeliões violentas deixaram quatro internos mortos e dúzias feridos. As autoridades começaram a vasculhar as celas e aparentemente encontraram pilhas de facas caseiras, conhecidas como bicudas. Os internos podem fazer uma bicuda com qualquer coisa, de escovas de dente até as hastes da ventilação.

Enquanto andava pelos corredores da prisão, tentei não demonstrar medo, mas meu coração desceu para o estômago. Eu pensei, *Como terminei nesse lugar? Por que não fui mais esperto?*

Continuamos andando até que chegamos à minha nova casa. O guarda gritou, "Pare. Aqui está, interno. Aproveite".

Os portões da cela se abriram e o oficial começou a se afastar. Um homem forte, escondido nas sombras, sorriu. Ele tinha por volta de um metro e oitenta de altura, e oitenta e três quilos de puro músculo. Estava sem camisa. Tinha a frase *El Payaso,* que significa O Palhaço em espanhol, tatuada acima do umbigo em grandes letras verdes. As letras M e S estavam tatuadas em cada um dos seus peitorais.

"Como vai Ricky? Engraçado encontrar você aqui," disse El Payaso, cujo nome verdadeiro é Juan Cruz.

“Ei, cara. É ótimo ver você. Bom, não é ótimo ver você nesse inferno. Felizmente, os guardas e as autoridades da prisão são burros demais para perceber que a gente se conhece."

Eu havia representado Juan Cruz em várias acusações na minha antiga vida como advogado. Cruz veio de um passado difícil e era um grande nome nas ruas para a gangue conhecida como Mara Salvatrucha, ou MS-13. As autoridades nunca conseguiram pegá-lo com nenhuma acusação séria, porque as testemunhas não queriam contrariar o Palhaço, que havia matado várias pessoas e se tornado um especialista em extorsão. A Agência Antidrogas se envolveu e ajudou autoridades locais a construírem um caso contra ele. Os três casos anteriores não foram adiante porque o Palhaço ameaçou matar todas as testemunhas e suas famílias se testemunhassem contra ele. Ele traficava cocaína, metanfetamina e maconha, entre os diferentes bairros de Nova Jersey e Nova York. Os promotores federais finalmente o pegaram por tráfico de drogas e extorsão. O juiz o sentenciou a cinco anos na prisão federal.

"Nós nos safamos por muitos anos, meu amigo," eu disse a Juan. "Engraçado que acabamos juntos na mesma cela. Eu nunca canso de me surpreender como as autoridades são idiotas. Eles nunca pensariam que você, e um gringo como eu, nos conhecíamos do lado de fora."

Juan sorriu. "É, cara. Tudo que esses oficiais fazem aqui é servir suas oito horas e sair pelo portão. Eles são tão preguiçosos, é inacreditável. Não espere que eles ajudem você."

"Como vai a família?"

"Você sabe. Tem sido difícil."

"É, eu posso imaginar. Temos muito tempo aqui

para colocar tudo em dia. Eu não vou a lugar nenhum tão cedo."

"Tô sabendo, irmão. Olha, eu vou tomar conta de você nesse lugar. Obviamente, não podemos nos associar fora da cela."

Juan não podia se associar comigo atrás das grades devido ao código racial não-verbal. Racismo é muito pior dentro do que fora do sistema prisional. As prisões nos Estados Unidos são divididas por linhas raciais. Os afro-americanos andam com os afro-americanos, brancos com brancos, e hispânicos ou latinos com o seu próprio grupo. Os prisioneiros podem ficar no pátio, um espaço aberto com quadras de basquete, pista de corrida e pesos. Os internos se mantêm separados nele, que vira um grande campo de batalha para as gangues.

Mesmo se os próprios prisioneiros não são racistas, eles seguem o código não-verbal sobre o que os internos devem fazer e com quem eles devem falar. Já que as prisões são cheias de predadores, um erro, mesmo algo pequeno como aceitar comida de um interno de cor diferente, pode resultar em uma briga ou até mesmo em morte.

"Siga o código", Juan me disse. "Nunca quebre o código."

A prisão é o único lugar no mundo onde você pode ver homens de quarenta ou cinquenta anos entrando em uma gangue por proteção. Vários estudos de acadêmicos mostram que existe uma relação entre idade e crime. Gangues são um fenômeno da juventude no lado de fora. Nos Estados Unidos, a maioria das pessoas "supera" a vida de gangue e deixa isso para trás na vida adulta. Já na prisão, existe poder nos números, forçando as pessoas, mesmo homens de meia-idade, a se unir em busca de proteção.

"Quantos caras se passando por advogado têm nesse lugar? Você vai ser o único advogado de verdade aqui dentro. *Ya sabes lo que la gente dice: 'En tierra de ciegos, el tuerto es rey.'*"[1] Juan riu.

"Fico feliz em saber que três anos de escola de Direito não foram uma completa perda de tempo. Sabe às vezes eu penso," eu disse, sorrindo. "Eu realmente preciso pagar minhas multas."

Na prisão, todo mundo se esforça para fazer um dinheiro extra. Se você quer drogas, precisa trocar objetos ou serviços por elas. Embora pistolas de tatuagem sejam ilegais atrás das grades, toda cadeia tem seu próprio tatuador. Alguns são melhores do que outros. Dado quantas pessoas estão apelando seus casos, sempre existe um interno que pode servir como "conselheiro" e cobrar honorários por "representação legal". Um advogado de cadeia pode ajudar os internos, que não têm advogados no lado de fora, a dar entrada em apelações e escrever cartas para diferentes organizações pedindo por conselhos legais.

As pessoas no lado de fora facilmente esquecem que alguém sentenciado à prisão precisa pagar restituição e outras multas do tribunal. Eu me envolvi nos crimes que cometi porque precisava de dinheiro. Agora preciso pagar seiscentos mil dólares ao Estado. "Como você espera que eu faça isso enquanto estou encarcerado, possivelmente pelo resto da minha vida?" Portanto, não é surpresa que as pessoas revertam às "habilidades" que adquiriram nas ruas para batalhar e fazer dinheiro atrás das grades.

Hora de me acomodar, eu pensei.

Esse será um longo caminho. Comecei a arrumar as coisas na minha nova "casa", que tinha uma privada e duas camas, uma em cima da outra. Realmente, bem-vindo ao inferno.

---

1. N.T. Você sabe o que as pessoas dizem. Em terra de cego, quem tem um olho é rei.

2

Eu cresci em Carle Place, no estado de Nova York, que fica a cerca de quarenta minutos da cidade de Nova York. Meu pai costumava me dizer que era apenas uma rápida viagem de trem de quarenta e um minutos da "cidade", quando ele queria que eu fosse visitá-lo. Os nova iorquinos a chamam de "a cidade", como se só existisse uma cidade no país inteiro. Qualquer nova iorquino dirá que NYC é a melhor cidade do mundo. O orgulho deles pode irritar pessoas de partes diferentes do país.

Meu pai, Peter, cresceu no Brooklyn. Meus pais se mudaram da Polônia e chegaram a Nova York para escapar da Segunda Guerra Mundial. Meu velho trabalhou duro e tentou prover o melhor que podia para a sua família. Ele trabalhou como gerente para um grupo de neurocirurgiões. Quando meu pai era criança, sua mãe ficou doente e ele deixou a faculdade para trabalhar no negócio da família. Sua mãe morreu de câncer, com cinquenta e poucos anos, o levando a cair na depressão e começar a beber.

Eventualmente, meu pai conseguiu ajuda e parou de beber depois de um período na reabilitação. Ele continuou a trabalhar no negócio da família e terminou a graduação em Finanças tendo aulas durante a noite na Universidade de Long Island. Depois de quase uma década, ele ganhou seu diploma de bacharel em finanças e completou um MBA em negócios, destinado a profissionais do mercado.

O terapeuta do meu pai disse que talvez fosse saudável deixar o negócio da família, uma vez que ele tinha um relacionamento tóxico com o seu próprio pai. Meu pai sempre me disse, "Meu velho era difícil. E você tem sorte de eu ser muito mais mole".

Meu avô cresceu durante a Grande Depressão e sempre teve medo de perder tudo. Ele nunca gastava um centavo com nada. Na verdade, ele viveu na mesma casa por quase seis décadas e salvou cada dólar que tinha.

Meu pai começou a administrar o escritório de um médico e as coisas estavam dando certo para ele, até que a minha mãe ficou doente. Minha mãe teve um AVC e precisava de cuidados vinte e quatro horas por dia. Embora meu pai tivesse um plano de saúde decente, os cuidados médicos domiciliares quase o levaram a falência. Ele não conseguia lidar com o stress e entrou em depressão depois de ver minha mãe sofrendo tanto. Começou a beber novamente. Tentamos convencê-lo a voltar para a reabilitação, mas ele disse que não podia pagar.

Meu pai entrou no carro, em uma tarde de domingo, depois de tomar algumas cervejas a mais no bar perto de casa enquanto assistia os New York Giants jogarem. A polícia o prendeu por dirigir embriagado. Ele passou a noite na cadeia já que não tínhamos dinheiro para a fiança.

Meu pai perdeu o emprego após a prisão. Ele me contou essa história várias vezes e insistiu que eu nunca bebesse e dirigisse.

"Meu patrão disse que precisava me demitir porque as minhas ações refletiam negativamente para o escritório. Por sorte, eu não matei ninguém, mas perdi tudo. Um erro, filho." Aquilo acabou com ele. "Um erro," ele repetiu. "Um erro e eu perdi tudo. Quem vai me contratar agora que tenho ficha na polícia? Sou um homem de meia-idade com um MBA e uma foto bonita nos arquivos da polícia."

Depois de procurar emprego por semanas sem sucesso, meu pai caiu em uma depressão profunda e não saía mais de casa. Ele finalmente encontrou emprego como gerente de um restaurante local. O salário era baixo e o stress do trabalho fez com que ele ganhasse vinte quilos.

Quando chegou a hora de eu ir para faculdade, meu pai dependia de mim para tomar conta da família. Como estudante, eu tinha o sonho de ir para a faculdade na Califórnia. Eu nunca havia estado no Oeste e queria experimentar algo diferente. Devido às circunstâncias da minha família, fiquei mais perto de casa e fui para a Universidade de Hofstra, uma faculdade privada a apenas alguns quilômetros de onde eu cresci. Também fui para Hofstra porque ganhei uma bolsa de setenta e cinco por cento.

Eu queria estudar Literatura Inglesa. No verão, eu lia quatro ou cinco livros por semana quando criança. A literatura me proporcionou um caminho para escapar da realidade da minha vida. Quando bebia, meu pai podia se tornar abusivo. Ele me bateu em várias ocasiões, me deu até mesmo um olho roxo. Depois ele se desculpava, dizendo, "Desculpe, filho. Não consigo controlar meu temperamento quando bebo". Por mais que as coisas fossem ruins, eu sempre podia correr e escapar para outro país ou universo através dos meus livros.

Eu achei que talvez poderia me tornar um escritor. Meu pai destruiu meus planos rapidamente.

"Garoto, você não vai se tornar o próximo grande novelista. Tire a sua cabeça das nuvens. É como dizer que você vai jogar na NBA. Olha onde a gente vive. Olhe para a sua vida."

"Mas uma graduação em inglês vai me ensinar como escrever. Todo empregador precisa ter alguém que sabe como pensar, ler e escrever."

"Não seja um espertalhão, filho. Ler e escrever livros são um hobby. Nós não somos da realeza. Você não pode ficar sentado e viver da fortuna da família. Por quê? Porque você não tem uma," gritou ele.

"Tudo bem, pai," eu resmunguei. "O que você quer que eu estude?"

"Olha garoto, vire um médico ou algum tipo de profissional. Algo com o qual você possa ganhar dinheiro e sustentar a sua família. Nós estamos com problemas, eu não posso pagar para você se tornar um escritor faminto. Você vai acabar trabalhando na cafeteria do bairro."

Eu nunca fui bom em ciências. Odiava estudar química e física no colégio.

Eu racionalizei o que o meu pai me disse e decidi me formar em Negócios e ter aulas eletivas em inglês. Achei que uma graduação em negócios me ensinaria habilidades que me ajudariam a conseguir um emprego. É muito difícil se tornar escritor. Ler e escrever seriam apenas um hobby.

Na Hofstra eu me inscrevi em um curso de Direito em Negócios. Nunca vou esquecer meu professor, Mark Burns. Ele tinha um sotaque nova iorquino forte e contava histórias sobre seu tempo trabalhando como advogado corporativo em Nova York. O Sr. Burns se cansou da profissão e se tornou professor. Ele se tornou exausto com o passar dos anos e odiava grandes empresas.

"Você sabe o que a minha graduação em Direito e meu emprego corporativo me deram? Pressão alta e noites em claro. Ah, e um ataque do coração."

O. Sr. Burns era um cara incrível que adorava ensinar. Ele trocou os ternos por calça jeans e camiseta. Passava a mão pelo cabelo, que depois voltava a ficar em pé.

Eu adorava cada minuto das suas aulas. Ele me ensinou a lutar contra as fraudes e ambição das corporações. Como uma criança vinda de um bairro de classe trabalhadora de Long Island, eu queria me levantar e brigar pelas pessoas comuns. Eu pensava nos problemas do meu pai e seus encontros com a lei. O Sr. Burns, com a sua camiseta manchada de café e cabelo desarrumado, me incentivou a lutar contra grandes corporações e me motivou mais do que qualquer uma das minhas aulas, que me faziam querer arrancar meus olhos.

Quando eu não estava estudando, trabalhava vinte e cinco horas por semana em vários empregos para pagar as contas. Eu aparava gramados durante o outono. Até dirigi como Uber. Eu tinha uma avaliação perfeita de cinco estrelas, porque sempre tratava todos os passageiros com o maior respeito. Tinha até garrafas de água, doces e balas disponíveis.

Quando meu último ano da faculdade começou, decidi fazer o LSAT, que é o exame de entrada para a escola de Direito. O teste era muito difícil e eu nunca havia sido bom naquele tipo de prova. Infelizmente, as escolas de Direito dão muito valor ao teste. Uma média de 3.7 e cento e setenta e quatro significava que você podia entrar em Yale, enquanto com uma média de 3.7 e cento e sessenta e dois você conseguia entrar em uma ótima escola, mais fora da Liga Ivy. Eu fiz o teste duas vezes e apliquei para dez escolas de Direito, todas na minha área. Columbia e NYU me rejeitaram, mas recebi ofertas de três das minhas cinco escolhas principais. Comecei a estudar os preços. Escolas de Direito são incrivelmente caras. A Escola de Direito do Brooklyn me deu metade de uma bolsa de estudos, deixando minha decisão mais fácil, já que eu não precisaria pagar quase duzentos e cinquenta mil dólares caso fosse para a Escola de Direito de Fordham.

Fui estudar Direito porque pensei que poderia usar minha graduação para ajudar as pessoas e ao mesmo tempo sustentar a minha família. A administração da Escola do Brooklyn fez uma pesquisa na minha classe no começo do ano e novamente dois anos depois da graduação. A escola descobriu que quarenta por cento da nova classe estava interessada em direitos humanos e direito sem fins lucrativos. Dois anos depois da graduação, oitenta por cento da classe trabalhava em direito corporativo, litígio complexo ou defesa criminal. Débitos estudantis enormes forçam as pessoas a "se venderem" e correrem atrás de dinheiro. Trabalhar como um advogado de ONG, ganhando trinta mil dólares por ano, é irreal para a maioria dos advogados jovens, a menos que você seja rico.

Eu me mudei para o Brooklyn para ficar mais perto da universidade e fugir dos meus pais. A condição da minha mãe continuou a piorar. Meu pai permaneceu sóbrio por vários meses, mas depois voltou a beber. Assistir o corpo da minha mãe se deteriorando só piorou a sua depressão e o quanto ele bebia.

Ele achava que o seu trabalho era não só estressante como também não oferecia desafios intelectuais. Antes de ser preso, ele usava as habilidades que aprendeu durante o MBA para ajudar a encontrar novas maneiras de tornar o consultório de medicina mais eficiente. Ele passava dias e noites criando projeções diferentes e ideias de como melhorar o atendimento. Como gerente de restaurante, passava o tempo gritando com os cozinheiros, alguns dos quais não levavam o trabalho a sério. Ele também precisava lidar com clientes irritados. Estávamos em Long Island e as pessoas não tinham vergonha de dizer ao meu pai o que achavam da comida e do serviço.

Além de tudo isso, meu pai começou a fazer mais dívidas conforme os cuidados da minha mãe se tornaram cada vez mais caros. Ele passava os dias de folga brigando com as companhias de seguro e os escritórios que cuidavam de pessoas com deficiência. Ele brigava com os pobres representantes de seguro, gritando: "De que vale ter plano de saúde e cobertura para deficientes se tudo o que vocês fazem é dizer não. Há alguma coisa que vocês cubram?"

O meu novo apartamento no Brooklyn ficava a quinze minutos de trem da universidade. Mesmo que a instituição houvesse me dado um bom trocado para me ajudar a pagar pela graduação, não era o suficiente para sobreviver. Eu procurava por empregos que me ajudassem a pagar o aluguel e colocar proteína na minha dieta.

Comecei a trabalhar como garçom a noite, mas depois encontrei emprego embalando carnes em um açougue em Manhattan, não muito longe da Mansão, uma boate onde os jovens dançavam até as 4h da manhã. O trabalho era duro. O açougue trocava bastante de funcionários, devido não somente aos horários, mas também a natureza do serviço. A loja sabia que eles só poderiam manter as pessoas se aumentassem o salário para dezessete dólares a hora. Assim sendo, eu comecei a trabalhar na primavera do meu primeiro semestre no Açougue do Morty.

Meu avental branco, que parecia com os de laboratório, ficava coberto de suor e sangue depois de mover grandes pedaços de carne do depósito para o caminhão. Os outros funcionários brincavam comigo e me chamavam de carinha da faculdade ou simplesmente de Harvard.

Morty, o dono, era conhecidamente sovina. Ele tinha um metro e sessenta e cinco e era careca, mas duro na queda. Era o tipo de patrão à moda antiga que não queria ninguém desperdiçando um único centavo em embalagem. Uma vez eu usei fita demais em uma caixa e Morty não deixou barato. "Ei, carinha da faculdade, você está me matando. Isso aqui não é Yale. Nós não temos dinheiro para usar esse tanto de fita. Coloque a carne no caminhão e empacote os molhos. Não gaste a minha fita. Você está me matando," ele gritava com o seu carregado sotaque nova iorquino, me dando um banho interminável de saliva.

Eu sabia como responder ao Morty: respeito e gentileza.

"Sim senhor! Não vai acontecer de novo."

"Excelente, carinha da faculdade," exclamou

Morty. Ele me deu um tapinha nas costas, com uma mão do tamanho de uma luva de beisebol. Levantou o charuto que estava segurando na outra mão e deu um trago.

"Muito bem, carinha da faculdade. Você está aprendendo, garoto."

Morty tinha um coração grande, mas precisava ser firme para crescer nos negócios. Ele teve várias experiências ruins com pessoas tentando roubá-lo ou se aproveitar dele. Foi até assaltado à mão armada em três ocasiões diferentes nos anos 80.

Outros funcionários não foram tão gentis e tiveram problemas com o Morty. A história mais famosa é que Morty, com pança e tudo, se meteu em uma briga com um dos funcionários que perdeu a paciência com ele e começou a soltar xingamentos. Morty pressionou seu estômago largo contra o funcionário e gritou, "Você sabe por que as portas desse lugar são tão largas? É para que pessoas com egos enormes como você possam passar por elas. VOCÊ ESTÁ DEMITIDO".

Os outros empregos que tive me ajudaram a aprimorar as minhas habilidades. Isso me trouxe mais benefícios do que eu poderia imaginar, e trabalhei com clientes bem difíceis com o passar dos anos.

Meu emprego no açougue pagava bem, mas dificultava a minha vida social. Entre os estudos e o trabalho, eu dormia cerca de quatro horas por dia.

Comecei como um estudante muito aplicado, mas com o tempo isso acabou. Existe um ditado no curso de Direito que no primeiro ano os professores tentam te assustar até a morte. No segundo ano, eles insistem em fazer você trabalhar até a morte. Durante o terceiro ano, eles te entediam até a morte e você mal pode esperar para acabar.

Os professores de Direito usam o infame método Socrático. Eles não davam aulas com apresentações em PowerPoint e gráficos, mas ao invés disso, mandavam que você lesse um caso e faziam perguntas intermináveis com a intenção de ajudá-lo a melhorar suas habilidades analíticas. O desafio da escola de Direito é que você nunca sabe quando vai ser chamado. Mesmo que houvesse tipos diferentes de professores, alguns mais conservadores chamavam os alunos baseados no quadro de assentos. Eles adoravam fazer alunos do primeiro ano de bobos na frente da turma.

Lembro do primeiro dia de aula quando o Professor Smith, que tinha oitenta e cinco anos e lecionava na universidade havia cinquenta e cinco, chamou um aluno e pediu que ele respondesse perguntas sobre um caso. A maioria das pessoas no primeiro dia de aula estão analisando o programa de estudos e tentando se aclimatizar. Nenhum de nós havia trazido o livro, que custava incríveis quatrocentos dólares. O Professor Smith, que parecia com o típico professor de Direito com uma gravata borboleta e suspensórios, repreendeu o aluno: "Você deve estar sempre preparado. Advogados não devem ser pegos desprevenidos. Nós somos os funcionários da corte e você *precisa* manter a honra dessa distinta profissão."

O discurso do professor fez os alunos, que estavam sentados suando nos seus lugares e com medo de serem chamados, revirarem os olhos. A declaração do professor não podia ser mais longe da verdade. A maioria dos casos legais duravam anos e se arrastavam. Eu pensei, *Se prepare. Esses serão três longos anos de muitas noites em claro vendo quantas besteiras eu sou capaz de tolerar.*

3

Durante o curso de Direito, eu entendi algumas coisas. Eu odiava direito tributário. Enquanto muitos contadores vão para a escola de direito e saem com um diploma de Mestre em direito tributário para ganhar milhões ajudando grandes empresas a tirarem proveito das intermináveis lacunas tributárias e assim economizar dinheiro, aquilo não era para mim. Eu odiava direito tributário com todas as minhas forças. Eu literalmente preferiria assistir a tinta de uma parede secar, do que ouvir meu professor de sessenta e cinco anos ler sobre mudanças nos códigos de tributos e como isso ajudaria a economizar dinheiro para grandes corporações.

Meu pai, cuja vida permanecia fora de controle devido ao stress do trabalho, continuava me empurrando para o direito corporativo.

"E quanto à direito corporativo, filho? Você pode fechar grandes acordos. Fusões e aquisições. É aí que está o dinheiro. Você vai se tornar sócio e vai começar a ganhar milhões."

"Tudo bem, pai! Eu vou dar uma olhada."

Eu decidi que valia a pena ir para alguns eventos de carreira e conversar com a rede de ex-alunos da Escola de Direito do Brooklyn.

Liguei para um cara chamado Chet, que trabalhava em uma grande empresa de direito corporativo no centro de Manhattan. Combinamos de nos encontrar para um café e ele se ofereceu para me contar sobre a sua vida no mundo corporativo.

Chet foi jogador de polo aquático em Yale e tinha cabelos louros e um maxilar definido. Ele abriu o jogo: "Eu não vou mentir, há muitas vantagens. O dinheiro pode ser ótimo. Mas, as horas de trabalho vão matar você. Eu trabalho sete dias por semana. Tirei um sábado de folga e meu chefe me chamou de volta para o escritório. Eu já trabalhava na empresa há um ano."

"Nossa! Parece intenso," eu respondi.

"Cada minuto da sua vida precisa ser transformado em incrementos de quinze minutos. O que acontece se você estiver pensando em um caso? Contabilize. Às vezes eu acordo com pesadelos às 3h da manhã, pensando no que posso fazer para aumentar as minhas horas."

"Como você enxerga como o seu futuro lá?"

"Bom... Eu acho que vou continuar trabalhando e torcer para virar sócio nos próximos cinco anos. Se eu virar sócio, então as minhas horas vão diminuir e eu terei vários novatos e associados fazendo o trabalho sujo para mim."

Percebi que aquela não era a vida que eu queria viver. Eu achava a maior parte do trabalho de direito corporativo sem graça. Revisar memorandos e contratos soava incrivelmente chato. E, pelo jeito, apenas cinco pessoas na empresa do Chet, que tem duzentos advogados, estiveram na corte. O resto dos advogados passavam os dias fazendo pesquisas legais tediosas.

No verão do meu segundo ano, eu fiz entrevistas em seis firmas de direito criminal e no escritório do defensor público. Eu tinha notas medíocres, que me colocavam no pior lugar da sala. As horas trabalhando no açougue me matavam. Também comecei a namorar uma garota, o que demandava tempo. O relacionamento acabou depois de quatro meses. Ela queria casar e ter filhos imediatamente. Eu só estava tentando descobrir como ler um livro de direito da faculdade e tirar as manchas de sangue das minhas roupas depois de trabalhar um turno da noite de dez horas no açougue do Morty.

Recebi ofertas para estagiar no escritório do defensor público e com um advogado de defesa criminal pouco conhecido, que cuidava de casos de direção sob influência. Eu decidi estagiar com o defensor público já que você vê de tudo e pode ganhar experiência.

Apareci às 7h do primeiro dia no escritório da Defensoria Pública do Brooklyn. Abri as portas e me surpreendi com a falta de espaço. Andei por uma série de cubículos, um em cima do outro. Cada cubículo tinha um computador e uma mesa com centenas de arquivos.

Eu continuei andando e vi um grupo de advogados jovens sentados em um sofá. Eles trabalhavam no sofá porque as costas começavam a doer depois de se sentar nas cadeiras de madeira por horas. Todos pareciam que não dormiam há uma semana ou duas.

Eu encontrei Dan Stockton, o coordenador dos estagiários.

"Bem-vindo, Richard. Posso te chamar de Rick?"

"Por favor me chame de Ricky. Todo mundo me chama de Ricky.

"Tudo bem, Ricky. Você está preparado para um verão brutal?"

"Estou aqui para aprender, senhor."

Dan se formou na Universidade de Nova York. Ele poderia ter feito qualquer coisa, mas acreditava no serviço público. Aquele era o seu quinto ano trabalhando como defensor. Ele subiu de escalão e ganhava cinquenta mil dólares por ano.

"Ricky, existem dois tipos de pessoas trabalhando aqui: o primeiro tipo é o recém graduado que não sabe absolutamente nada de direito criminal e quer aprender antes de partir para a prática privada. Eles entram e saem o mais rápido que podem. Uma vez e nunca mais, Ricky. Uma vez e nunca mais."

"E o segundo tipo?"

"O segundo tipo são os que acreditam de verdade, como eu. Eu poderia estar fazendo muitas coisas. Eu fui editor-chefe da revista de direito em Columbia. Porém, sinto que estou na batalha da minha vida para defender meus clientes e impedir que eles sejam presos. Eu represento jovens que foram indiciados como adultos e estão enfrentando penas que vão de vinte e cinco anos à prisão perpétua. O Estado precisa passar por cima de mim para chegar até os meus clientes. Eu vou lutar com tudo o que eu tenho. Eles precisam passar por cima de mim, Ricky."

"Nossa! Isso deve ser muito estressante."

"É sim. Mas eu adoro. Atualmente eu tenho noventa casos na minha mesa. O sistema está quebrado. Nós não temos recursos para brigar. Caramba, nós nem ao menos sabemos quem são muitos dos nossos clientes. Mas estamos fazendo a diferença. Realmente estamos."

"É ótimo ouvir isso. Os seus clientes têm sorte por ter uma pessoa tão dedicada do lado deles."

"Você quer tomar um café?"

"Não obrigado. Estou bem."

"Vamos nos aprontar para ir à corte. Você precisa usar o banheiro? Você fuma? Precisa de uma pausa para fumar?"

"Não, estou bem. Eu não fumo."

"Então vamos, Ricky. Não deixe que eu esqueça do meu carrinho."

Nós nos aproximamos do seu cubículo e na frente estava um carrinho com pelo menos cinquenta casos. Fomos caminhando em direção à corte. Danny falava sem parar, mas eu adorava a sua paixão pelo trabalho. Ele realmente se via como Davi enfrentando Golias.

"Hoje, nós vamos começar na corte criminal. Esteja pronto para aprender, garoto. Veja e aprenda. Nós vamos tentar negociar com os promotores e conseguir o melhor acordo possível para os nossos clientes. Eu tenho três grandes casos que são crimes envolvendo drogas. Dois garotos de dezesseis anos estão sendo julgados como adultos e enfrentando décadas na prisão. É uma loucura."

Nós passamos pela porta da frente e pelo detector de metais. Danny empurrou o carrinho, rangendo, para dentro do elevador. Saímos do elevador e percorremos um longo corredor até a sala número três do tribunal. O tribunal estava cheio, e nós ainda tínhamos quarenta e cinco minutos até que o juiz saísse da sua câmara.

"Billy," Danny gritou em direção ao promotor. "Billy, esse é Ricky Gold. Ele é meu estagiário."

"Ei, Billy. Muito prazer."

"Onde você estudou Direito?"

"Escola de Direito do Brooklyn," eu respondi.

"Não brinca. Eu também estudei lá. É uma pena você estar trabalhando para o time errado aqui. Nós mandamos os vilões para a cadeia e cumprimos a justiça.

Eu sorri. "Prazer em conhecer você, Billy. Espero te ver por aí."

"Não se engane com o sorriso dele ou com o sotaque sulista, Ricky. O Billy é um cara legal da Carolina do Sul perdido na cidade grande, mas ele é duro na queda."

Billy sorriu. "Eu só estou fazendo o meu trabalho."

"Vamos acabar com as gentilezas, rapazes. Hora de começar o trabalho," disse Danny. "Eu quero falar com você sobre o caso do Jones. Quero apelar por uma contravenção. Ele vai se declarar culpado e servir três meses de prisão. Vocês ganham e o ajudam a evitar uma longa sentença."

"Tudo bem! Vou quebrar esse galho para você," respondeu Billy. "Mas não pense que eu vou pegar leve no caso do Pendleton. Aquele garoto assaltou uma idosa a faca."

"Billy! Por favor. A palavra-chave aqui é garoto. Ele é jovem *e* idiota. Nós realmente precisamos acusá-lo como um adulto? Você não se lembra de quando era jovem e estúpido? Pode voltar para o escritório e pedir que eles reconsiderem?

"Não, senhor. Esse não é o primeiro crime dele. Se você quiser, nós podemos apelar de três a cinco anos. Ele vai ser transferido para a prisão de adultos assim que fizer dezoito anos. Se você for a julgamento nesse caso, vai perder. Temos ele em vídeo e há testemunhas. Ele pode pegar de dez a quinze anos se perder."

"Billy! Você é realmente difícil. Acho que vou levar o caso a julgamento."

"Você é louco, Danny. Está dormindo o suficiente? Esse caso está ganho. Eu vou te dar três anos de prisão com aconselhamento obrigatório, restituição e programa de reabilitação de drogas".

"Reabilitação de drogas? Ele teve uma acusação leve por porte de maconha."

"Reabilitação."

"Combinado. Três anos. Nem mais, nem menos."

"E quanto ao caso do Simpson?"

"Aquele idiota que roubou uma viatura de polícia? Qual é, cara. Eu adoraria ver isso ir a julgamento. O gênio apertou o *play* e, sem brincadeira, gravou quarenta minutos da sua própria tentativa de fuga. Se você se cansar desse trabalho pode virar um consultor do crime. Ensinar um pouco de bom senso a esses caras."

"Um ano de cadeia."

"De jeito nenhum. Ele causou quarenta mil dólares em danos. Bateu em três carros estacionados. Diz pra ele fazer um exame de vista."

"Dois anos."

"Tudo bem."

Essa discussão continuou por mais dez minutos enquanto eles negociavam o resultado de uma série de crimes.

Ao contrário do que você vê na TV, em torno de noventa e cinco por cento de todos os casos criminais são apelados, já que os promotores estão sobrecarregados e precisam liberar suas listas. A defesa e o promotor entram em um acordo sobre o apelo. O promotor pode considerar aquilo um ganho e o advogado de defesa consegue o melhor acordo possível para o seu cliente. Um julgamento com júri é algo assustador e a pressão do governo faz com que muitas pessoas apelem.

"Ricky, já está assustado? Olha, o sistema é problemático. Eu tenho dez minutos com os meus clientes e preciso dar a eles algumas opções. Nós tentamos apelar e conseguir o melhor acordo possível para a maioria dos nossos casos. Precisamos priorizar. Eu preciso focar a minha energia nos crimes sérios nos quais as pessoas estão enfrentando prisão perpétua. Eu disse a você para estar preparado. Ou você ama fazer isso ou não. Precisamos lutar contra o sistema. Revolte-se contra a maneira como as coisas são. Somos eu e você contra o mundo."

"Fiquem de pé. O ilustre juiz Steinbeck está aqui," anunciou o oficial de justiça.

“Bom dia. Por favor, sentem-se. Sou o juiz Steinbeck. Estamos aqui hoje para a primeira audiência. Por favor lembrem-se de que vocês têm três opções: declarar-se culpado, não contestar ou inocente e ir a julgamento. Essa é a sua primeira audiência, não o seu julgamento. Por favor não me fale sobre o seu caso."

A primeira fila era de pessoas que não haviam conseguido pagar fiança. Eles estavam calados, sentados com os seus macacões laranjas, algemados e com correntes na cintura.

"O primeiro da lista é o Sr. Curtis Brown."

O Sr. Brown se arrastou para a frente do microfone.

"Sr. Brown, o senhor tem representação legal?"

O Sr. Brown não era nenhum novato do sistema de justiça criminal. Ele havia vivido nas ruas por décadas, indo e vindo. Sofria de esquizofrenia e tinha dificuldade para manter um emprego quando não estava tomando remédios. As cadeias nos Estados Unidos estavam cheias de pessoas como o Sr. Brown, que sofriam de problemas mentais e precisavam de tratamento e reabilitação. Muitos desses indivíduos passavam despercebidos e eram presos por todo tipo de pequenas violações. A polícia já chegou a prender pessoas por se sentarem em caixotes.

"Sr. Brown, o senhor tem um advogado presente? Se não puder pagar, um defensor público será indicado."

O Sr. Brown murmurou algo para si mesmo e então gritou, bravo e em voz alta, "Não! Eu não tenho nenhum advogado. Eu mesmo vou me representar."

Sr. Brown havia passado três cheques sem fundo e roubado comida de uma loja de conveniência local. Ele parou de tomar os remédios quando a prefeitura cortou o orçamento dos programas que ajudavam a combater doenças mentais.

"Quem é o promotor?"

Billy se levantou. "Sou eu vossa excelência. O Estado vai processar o Sr. Brown em todas as três acusações. Ele é um criminoso habitual."

"Estou vendo, Billy. Sr. Brown, o senhor tem se mantido ocupado. Foi preso dezesseis vezes nos últimos cinco anos," disse juiz com condescendência. "O senhor está enfrentando um máximo de cinco anos de prisão. Sugiro que o senhor arranje um advogado de verdade. Se não puder conseguir um, eu indicarei um defensor público." O juiz interrompeu a si mesmo. "Minhas desculpas, defensores públicos são advogados de verdade. Eles são apontados pela corte se o senhor não puder pagar por um advogado particular."

O Sr. Brown encarou seus sapatos.

"Entende por que está aqui, Sr. Brown?"

"Eu entendo."

"E o senhor quer se representar? Tem certeza?"

"Sim."

"Tudo bem, Sr. Brown. Se o senhor insiste. Como se declara?"

"Inocente."

"Por favor que fique registrado que o Sr. Brown decidiu por *pro se* apesar da minha recomendação que ele procurasse um advogado. Eu aceito sua declaração de inocente e o caso seguirá para julgamento."

Dan se virou para mim e sussurrou, "Somos os próximos, garoto. Tenho três casos. Vou pedir uma postergação. Recebi os arquivos ontem e ainda não pude estudá-los."

"Michael Blake." O juiz leu o nome da lista em voz alta.

Dan se aproximou e fez sinal para que eu entregasse um dos arquivos do carrinho.

"Sr. Dan Stockton. Como vai o senhor? Está representando o Sr. Blake?"

"Sim, Excelência."

"E quem é o seu amigo?"

"Ricky Gold. Ele está estagiando durante o verão. Acabou o segundo ano na escola de Direito."

"Ricky Gold. Hum. Soa como o nome de uma estrela de cinema. Você é famoso?"

Eu sorri e respondi, "Não senhor. Sempre escuto isso. Infelizmente, eu sou só um João ninguém."

"O que trouxe você ao meu tribunal? Você não quis perseguir milhões em Wall Street. As empresas de direito corporativo assustaram você? Está lutando por justiça e tentando reparar o que há de errado no mundo?"

O juiz estava na profissão há quarenta e cinco anos e não estava preocupado em ofender ninguém ou ser reeleito.

"Eu estou aqui para aprender o máximo que puder, Meritíssimo."

"Ótimo, Sr. Gold. Tome cuidado com o garoto Danny. Esse cara é problema."

"Excelência. Sou um coroinha."

"Claro que é. Senhor, quantos casos você tem comigo hoje?"

"Quinze, senhor."

"Quando você dorme?"

"Eu não durmo."

"O que vamos fazer com o Sr. Blake? Sr. Blake, venha aqui, por favor."

Michael Blake se aproximou de Dan. Ele parecia ter quinze anos e não devia pesar mais do que sessenta quilos.

"Sr. Blake, o senhor tem estado ocupado. Três assaltos à mão armada. E esse não é o seu primeiro crime. É o seu quarto. Meu Deus, filho."

Michael Blake encarou o chão cheio de vergonha.

"O que vamos fazer, Danny?"

"Eu preciso de uma postergação, Excelência. Fizemos um pedido de requisição de provas à Promotoria Pública. Também estamos localizando várias testemunhas."

"Entendo. Três semanas são suficientes?"

"Perfeito. Funciona para nós, Excelência."

O oficial de justiça continuou a chamar a lista. Eu adorava ver o Dan trabalhar. Aquela havia sido somente a primeira hora e meia do meu estágio e eu já estava aprendendo bastante. O verão seria interessante. Eu não estaria conferindo vírgulas e revisando contratos em alguma grande empresa, mas sim trabalhando em casos com pessoas reais lutando por liberdade.

4

Eu acordei às 5h e saí para uma corrida. Tinha um grande dia na corte e precisava estar preparado. Vesti meu terno e gravata, e pendurei o crachá na cintura. Saí do meu novo apartamento em direção ao escritório do defensor público. Era difícil acreditar que um ano já havia passado desde o meu estágio.

O último ano da faculdade foi difícil. Como muitos estudantes, eu queria sair e estava pronto para me juntar à força de trabalho. Fiz entrevistas em pequenas firmas de direito e recebi duas ofertas. O salário era baixo e os sócios tinham a reputação de explorarem os recém-formados até a morte durante alguns anos e depois demiti-los.

Eu decidi que queria trabalhar sozinho. Não queria ter um chefe porque odiava ter alguém me dizendo quando fazer alguma coisa e por quanto dinheiro. Queria ser meu próprio chefe. Eu pensei: *Essa é a América. A terra dos livres e o lar dos bravos. Por que eu devo trabalhar como um cão para enriquecer outra pessoa? Eu queria começar meu próprio negócio e exercer direito criminal.*

O problema com o meu plano brilhante é que eu quase não tinha nenhuma experiência. Apesar de aprender os fatos de muitos casos na faculdade, existe uma grande diferença entre ler sobre casos em um livro e praticar direito criminal. Mesmo assim, recebi uma oferta de trabalho como defensor público. Meu objetivo era aprender o máximo possível e então seguir adiante sozinho.

Meu pai não aprovava o meu plano. Ele me dizia, "Vá atrás do dinheiro, garoto. Você não estudou tanto para ganhar trinta e cinco mil dólares por ano. Você não é uma celebridade."

Meu pai continuou trabalhando. Ele ganhava o suficiente como gerente, mas nada comparado com o que ganhava administrando o consultório antes de ser preso. Ele voltou várias vezes e implorou para ter o emprego de volta. Porém, ele trabalhou para vários neurocirurgiões com complexo de Deus e que acreditavam que eram infalíveis. Eles nunca entenderiam como alguém poderia ter um comportamento tão "libidinoso e lascivo."

A condição da minha mãe continuou a mesma.

Era realmente difícil para o meu pai porque a sua esposa precisava de cuidados o tempo inteiro e nunca iria se recuperar. A sua vida nunca mais seria a mesma.

Eu tentava visitá-lo o máximo que podia, mas sempre acabava deprimido. Aquilo me lembrava da minha vida de antes. Ver as fotos da minha mãe quando eu era criança me fez perceber que você nunca sente falta de algo até que o perca. A minha mãe não havia se perdido completamente, mas tinha dificuldade para lembrar das coisas. Ela estava presa à uma cadeira de rodas e nunca voltaria a ter a vida de antes.

Mesmo ressentindo meu pai pela bebida, eu entendia a sua dor. Enquanto subia as escadas, eu pensei na nossa última conversa. Eu não falava com ele havia meses. Lembro de dizer que me deixasse viver a minha vida e construir a minha carreira sozinho.

"Olha pai, eu vou ganhar experiência por um ano e depois seguir sozinho. Me deixe em paz. Você pagou pela escola de Direito? Você trabalhou em um açougue a noite? Se escravizou durante três anos como um cão? Sou eu que tenho mais de cinquenta mil dólares em débito."

"Eu entendo, filho. Estou orgulhoso de você. Só quero que você tenha sucesso."

"Não, isso não é verdade. Você só precisa de mim

pelo dinheiro. Você estragou tudo e agora quer que eu te salve. Eu vou ter sucesso. Só preciso de experiência. Vou começar o meu próprio império."

Eu abri a porta e entrei no escritório. Encontrei o meu cubículo e pensei, *Cubículos são coisa do demônio*.

Um outro defensor público jovem se aproximou do meu espaço apertado. "Ouvi dizer que você passou no exame da ordem. Parabéns. Sei que foi há três meses, mas estive ocupado e esqueci totalmente. Só queria parabenizar você pessoalmente."

"Obrigado. Finalmente estou trabalhando sozinho e não preciso da supervisão do Dan. Não preciso mais de babá."

"Ótima notícia. Fico feliz por você."

"Como vão as coisas?"

"Tudo bem. Fiquei no hospital por três dias. O médico disse que eu estou bem, mas preciso diminuir o stress."

"O quê? Você tem certeza de que está bem?"

"Sim. Foi só o stress."

"Me avise se precisar de alguma coisa. Se cuide."

Esse trabalho pode ser difícil e demanda muito de alguém com apenas vinte e cinco anos e que está pronto para salvar o mundo. Defensores públicos devem representar qualquer pessoa. Eles não podem dizer não. Não importa se você gosta ou não do cliente, precisa representá-lo. Os tipos e a simples quantidade de casos podem ter um efeito negativo.

Eu também precisava cuidar de mim. Estava trabalhando setenta e cinco horas por semana. Por enquanto, precisava focar em me reunir com os meus clientes e discutir os seus casos. Como muitos defensores públicos, eu parecia ter um número infindável de casos representados por pastas na minha mesa.

Revirei o meu cubículo e procurei por alguns papéis na gaveta.

"Eu não vou me declarar culpada," gritou uma cliente irritada.

"Por favor, fique calma, senhora. Vamos conversar sobre as suas opções," o jovem defensor respondeu.

"Minhas opções. Dane-se. Dane-se a polícia de Nova York. Eu sou inocente."

"Por favor, fique calma."

Como alguém consegue se concentrar nesse lugar, eu pensei. *Barulho, barulho e mais barulho.*

"Um ano. E então o dinheiro vem. Eu só preciso sobreviver por um ano. Ganhe a experiência e dê o fora," eu repetia frequentemente em voz alta para mim mesmo.

Peguei a pilha de documentos com uma mão, o casaco e o paletó com a outra. Me apressei pelo corredor e passei pela secretária.

"Estou de saída. Vou me reunir com alguns clientes que estão na cadeia do município."

"Boa sorte," respondeu. Ela trabalhava no escritório havia trinta anos e já havia visto de tudo, de estupradores a pessoas que cometeram múltiplos assassinatos. Nada mais a surpreendia.

Empurrei a porta e desci até a rua. Cheguei na cadeia, que ficava há quatro minutos de caminhada do escritório. Aquele prédio antigo recebia quinhentos novos internos todos os dias. Era como uma fábrica, movimentando prisioneiros para dentro e fora do sistema.

"Como vai, Ricky? Espero que esteja tudo bem," disse o oficial.

"Nada de mais cara. Estou aqui para ver dez pessoas."

Passei pelo detector de metais e dei a minha lista para o oficial de correção.

"Quem você quer ver primeiro?"

"Jason Williams, por favor."

"Vou trazê-lo. Ele deve estar na cela."

Caminhei até a sala destinada para os advogados e seus clientes conversarem. O oficial trouxe o Sr. Williams.

"Você é o meu advogado?"

"Sim senhor. Sou do escritório de defensoria pública. Estou aqui para discutir o seu caso. Sua ficha diz que você tem dezesseis anos."

"Correto."

"A cadeia está mantendo você separado dos outros internos?"

"Separado?"

"Sim. Você está sendo mantido separado dos outros internos adultos?"

"Nem pensar! Eu estou aqui com um bando de assassinos."

Promotores podem determinar se vão julgar pessoas como juvenis ou como adultos. Os Estados Unidos dão aos promotores muita liberdade de decisão. Eles sobem na profissão conseguindo vitórias e sendo "durões contra o crime." Como resultado, mais adolescentes entram no sistema criminal adulto.

"Sr. Williams, de acordo com a lei, o governo deveria separá-lo dos adultos por "local e som". Vou conversar com os oficiais quando acabarmos nossa reunião. Colocar adolescentes em cadeias e prisões de adultos é perigoso para a saúde física e mental deles. Prisões de adultos estão cheias de predadores que se aproveitam de crianças vulneráveis. O congresso dos Estados Unidos passou a Lei de Eliminação de Estupros na Prisão (PREA) para tentar eliminar a violência sexual nesses lugares. Embora as cadeias e prisões devessem isolar os jovens, algumas delas continuam a colocá-los com os adultos. Essa é uma violação clara da lei. A única maneira de conseguir que alguns diretores a cumpram é abrindo um processo."

"Eu não sabia disso."

"Sr. Williams, o senhor foi acusado de posse de cocaína com a intenção de traficar. Estou vendo que não é a sua primeira prisão."

"Armaram para mim, cara. Os tiras plantaram as drogas. Olha, eu sei que todo mundo aqui deve te dizer que é inocente, mas eu realmente sou inocente. Eu estava dirigindo e os tiras me pararam."

"E então o que aconteceu?"

"Eu comecei a gritar que eles não tinham nem metade de uma causa provável. Eu tenho película escura nas janelas e gosto de ouvir música. Eles me ficharam e me trataram como se eu fosse um traficante."

"O relatório da polícia diz que você estava dirigindo em alta velocidade. Isso é verdade?"

"De jeito nenhum. Não, senhor. Eu estava a dezesseis quilômetros por hora no bairro. Eu já tive outros confrontos com o policial que me parou. Dei um soco nele durante uma briga dois anos atrás. Ele nunca esqueceu aquilo. Juro que foi ele quem colocou as drogas no meu carro. Eu não sou traficante de cocaína."

"Sr. Williams, eu entendo a sua frustração."

"Entende mesmo? Eu não quero ir para prisão, cara."

"Sr. Williams, como nós podemos provar que o policial plantou as drogas?"

"Deve ter algumas câmeras, cara. Eu não sei."

"Eu recomendo que nós aceitemos o acordo."

"Um acordo. Eu sou inocente. Juro pela minha vida. Eu sou inocente. Você precisa acreditar me mim. Isso é um escândalo. Deveríamos estar fazendo notícia sobre a corrupção da polícia de Nova York."

"Você tem provas? Tem gravações?"

"Não, cara. Vocês não têm investigadores particulares e tal?"

Eu queria dizer a ele que estávamos falando do escritório de defensoria pública. Mal tínhamos dinheiro para água corrente.

"Olha, não é o que você sabe. É o que pode provar. Nesse momento, os promotores têm evidências suficientes para prender você por dez anos, baseado na quantidade de cocaína que encontraram no seu carro."

"Eles plantaram."

"Não é o que você sabe. É o que você pode provar em julgamento," eu repeti. "Perderemos se formos a julgamento. Eu posso negociar com os promotores. Você sairia em dezoito meses. Se quiser arriscar, podemos ir a julgamento e você vai perder. Deixe que eu fale com o promotor e ver o que posso fazer. O sistema de justiça criminal é problemático, meu amigo. No entanto, é melhor aceitar o acordo ao invés de correr o risco de cumprir dez anos por essa acusação."

O interno começou a chorar e baixou a cabeça entre as mãos.

"Eu não fiz nada de errado."

"Acredito em você. Vou tentar descobrir se há câmeras, podemos verificar próximo ao sinal de trânsito. Mas vou lhe dizer, o caso não parece nada bom."

"Por favor. Por favor. Investigue."

"Vou continuar. E vou perguntar aos oficiais por que não separaram você. Você se sente seguro?"

"Não, cara. Estou dividindo a cela com um animal de 130 quilos. Ele é um monstro!"

"Machucaram você?"

"Não! Sei como me proteger, se é que você me entende."

"Não faça nada estúpido. Me deixe tentar resolver isso. Vou voltar daqui a alguns dias com a resposta do promotor."

Deixei a prisão pensando que aquele jovem é um dos meus muitos clientes vítimas do sistema de justiça criminal. Eu realmente queria ajudá-lo. Queria que ele fosse o meu único cliente e que eu pudesse passar centenas de horas nesse caso. No entanto, não é assim que o sistema de justiça criminal americano funciona. Eu era um defensor público com orçamento apertado. Casos são apelados não só porque os réus preferem aceitar o melhor acordo do que brincar com a sua liberdade, mas também devido ao grande volume de processos. Aquele jovem não percebia que os defensores públicos têm centenas de casos e precisam tentar tirá-los dos seus arquivos com os escassos recursos que têm.

Você poderia oferecer a um defensor público trabalhador um milhão de dólares para nomear dez dos seus clientes e a maioria deles não conseguiria porque têm dezenas de casos o tempo todo. É como tentar beber água de um hidrante de incêndio.

Enquanto o Sr. Williams voltava para a cela, me aproximei de outro guarda-chefe que eu conhecia de alguns anos.

"Por que o Sr. Williams está em uma cela com um adulto?"

"É o melhor que podemos fazer, Ricky. Estamos cem por cento superlotados. Os tiras continuam pegando e fichando eles, e estamos presos com uma cadeia que tem quatro mil internos. Somos apenas babás, meu amigo."

"Ele está sendo acusado como adulto, mas só tem 16 anos."

"O diretor me avisou para dizer a todos os advogados que custaria entre quinhentos milhões e um bilhão de dólares para construir outra ala para jovens. Tem esse dinheiro para doar? Se não, não há nada que possamos fazer."

"Vou dar seguimento a isto. Estamos colocando a vida desse garoto em risco. O companheiro de cela dele pesa 130 quilos."

"Quem é o seu próximo cliente?"

"Wallace. Chris Wallace."

Um dia de cada vez, eu pensei. *Não posso fazer isso para sempre. Estou sobrecarregado com casos. Preciso apelar muito mais casos simples para limpar o meu arquivo. Em breve serei um grande advogado.*

5

O Professor Jason White entrou pelos portões do campus da Universidade de East Manhattan, uma faculdade privada com quinze mil estudantes, localizada no Lower East Side de Manhattan. Jason passou pela segurança e continuou andando até chegar à escola de negócios.

“Olá, Professor White", gritou um estudante.

"Bom dia, senhor. Como vai a vida? Espero que esteja bem", disse ele com um sorriso.

White ajustou os óculos grossos e sua gravata borboleta. Ele olhou para cima ao chegar na escola Ross de Artes e Ciências. O sol brilhava sobre ele naquele dia ensolarado de Nova York.

A porta automática se abriu.

"Jason! Temos uma reunião do grupo de trabalho às 15h. Você viu o meu e-mail?”

"Oi, Bob. Como vai o meu professor de estatística preferido? Recebi o seu e-mail e estarei lá às 15h. Estou ansioso."

O professor White passou pela porta e pegou o elevador até o seu escritório. Ele andou pelo corredor do departamento de estatística aplicada. Passou pelo professor Smith no bebedouro.

"Olá, Jason. Como vai a vida?

"Está tudo bem. É uma semana importante para mim."

"Lhe desejo tudo de bom."

Jason White estava para ser efetivado. Professores universitários são avaliados para assumir posse durante o seu sexto ano. Se receberem esta honra, significa que têm um emprego permanente para a vida toda. É muito difícil demitir pessoas quando elas são efetivadas.

Jason White tinha percorrido um longo caminho desde o seu bairro de classe média em Carl Place, Nova York. Seu pai se mudou, com a esposa e os dois filhos, do Brooklyn para Long Island quando Jason tinha cinco anos. O pai de Jason trabalhava com construção e nunca deixou o filho esquecer desse fato.

Jason brincava com os amigos imitando como o pai gritava sobre usar água demais. "Jason, pare de usar tanta água quando está no chuveiro. Nós não somos milionários. Você está aumentando a conta de água a cada banho em pelo menos dez dólares," seu pai sempre gritava.

A mãe de Jason o levava à biblioteca todas as sextas-feiras. Jason devorava livros. Ele leu *Jurassic Park* em três dias quando tinha oito anos. A sua mãe trabalhava em um restaurante e queria que os filhos crescessem para ter uma vida melhor do que a que ela teve.

Jason era um garoto tímido, desajeitado e tinha problemas para fazer amigos na escola. Não ajudava a sua situação o fato de que as crianças gozavam dele porque usava óculos grossos. Os livros lhe forneciam uma fuga. Ele nunca soube que a sua família era de classe média baixa até que foi a uma festa de aniversário na casa de uma criança rica durante o verão. Jason chegou em casa chorando porque um garoto chamado Tommy disse a ele que sua mãe o obrigou a convidá-lo.

O bullying continuou durante a juventude de Jason. Ele continuou reservado e se tornou mais obcecado com a leitura e a escola. A sua mãe às vezes ficava de coração partido quando pensava no filho. Ela tinha pena dele. Sabia que ele era um garoto magro com óculos grossos que sofria bullying na escola. Ela se preocupava porque não sabia como ajudá-lo.

Jason se destacou em matemática e ciência na escola. No ensino médio, ele estudou matemática avançada no primeiro ano. Também estudou estatística no segundo ano e se tornou obcecado com a previsão de tendências. Ele procurava as médias de rebatidas dos seus jogadores favoritos de beisebol e usava dados anteriores para prever tendências futuras.

O pai de Jason tinha dificuldades para se relacionar com o filho. Seu pai mal se formou no ensino médio e o seu filho estava resolvendo problemas matemáticos complexos.

"Pai, estou trabalhando em uma fórmula para prever médias de rebatidas", disse ao pai durante o jantar.

"É mesmo? Como você vai fazer isso?"

Jason começou a explicar a análise de regressão e os olhos do seu pai começaram a perder o foco. Ele estava trabalhando doze horas por dia em uma demolição no Lower East Side, e a última coisa que queria ouvir era Jason falando sobre análise de regressão.

"Sim, pai. Eu estava usando um programa chamado Stata, mas é caro e a minha escola tem apenas uma cópia na biblioteca. Comecei a aprender como fazer programação básica em R. É de graça. Você acredita que o pessoal de estatística fez um programa gratuito? Eles podiam ter feito milhões se cobrassem por isso."

"Isso é ótimo, filho. Parece promissor", disse o pai, enquanto cortava a carne.

"É tão legal. Eu realmente acho que a prova está nos dados. Isso pode me ajudar a usar o passado para prever o futuro. Mãe, podemos ir à biblioteca na sexta-feira para pegar alguns livros sobre programação de computadores e modelagem estatística?"

"É claro, querido. O seu pai e eu estamos muito orgulhosos de você. Nossa pequena estrela."

"Sim, filho. Não se preocupe com aqueles garotos da escola que estão implicando com você. Você vai ficar bem. Vai ganhar milhões enquanto eles quebram pedras como eu. Eu era um garoto popular na escola. Olhe para mim agora. Quebrando pedras para viver enquanto os nerds controlam no mundo."

Quando chegou a hora de Jason ir para a faculdade, ele se candidatou a quatro universidades da Ivy League. Seu plano B incluía escolas locais em Nova York, que eram mais acessíveis. A Universidade de Columbia tinha bolsas para pessoas com necessidades. Uma vez que os pais de Jason não podiam pagar os sessenta mil dólares por ano necessários para frequentar a escola da Ivy League, a universidade não só lhe deu uma bolsa completa, mas também ofereceu uma ajuda de custo para livros e moradia.

Jason se destacou em Columbia. Ele se envolveu

em pesquisa de Estatística Aplicada com o Dr. Aaron Stein, o famoso estatístico que teve uma tripla nomeação na escola de assuntos públicos, assim como nos departamentos de estatística e sociologia. Stein escreveu vários livros sobre *big data* e aprendizado de máquinas e usou estatísticas para resolver problemas complicados. Ele não foi efetivado em Harvard e se mudou para Columbia, onde prosperou. Durante seus trinta anos na Columbia, ele publicou mais de quinhentos artigos em importantes revistas de ciências sociais e estatística. Foi autor e coautor de três livros acadêmicos que viraram best-sellers e quatro livros sobre estatística usados em universidades ao redor do país.

Jason estava muito entusiasmado no primeiro dia de aula do professor Stein sobre análise de regressão. Ele havia lido dezenas de artigos de Stein enquanto estava no ensino médio e seus outros professores de estatística haviam usado o livro de Stein.

Jason se virou para o seu amigo Alex. "Como é o Stein? Ele é um cara legal?"

"Ele é um professor de estatística, cara."

"Como assim?"

"Por definição, ele é estranho."

Jason conseguia entender. Apesar de ter se destacado em Columbia, ele não tinha uma vida social maravilhosa. Conheceu alguns alunos no dormitório com quem gostava de sair. Eles iam a jantares, eventos esportivos e jogavam cartas durante horas. Jason, no entanto, não era exatamente um mulherengo. Ele ainda usava os óculos grossos do ensino médio. Tentou usar lentes de contato, mas elas sempre o incomodavam porque coisas constantemente entravam nos seus olhos.

Jason conseguiu quinze quilos de músculos malhando na academia da universidade. Ele caminhava pelo campus todas as semanas e entrava na academia para levantar pesos com os outros estudantes. Apesar de levantar peso, ele pesava sessenta e oito quilos.

Jason concentrava seu tempo e energia se destacando nas aulas. Ele dizia a si mesmo que as garotas não iriam a lugar nenhum. Ele pensava que talvez tivesse mais sorte no futuro. O problema era que Jason via o mundo como um problema de estatística.

Jason contou a Alex sobre seus fracassos com as garotas: "Estou em uma universidade da Ivy League em Nova York. Se você incluir a população da pós-graduação, eu teria de competir com trinta e dois mil estudantes somente em Columbia. Na graduação há seis mil pessoas. Você calcula esses números, e há muita concorrência. Metade delas são garotas."

"Cara! Relaxa. Converse com uma garota primeiro e para de calcular as probabilidades. Não seja um nerd tão grande. Aprenda a falar com as garotas. Seja engraçado. Faça perguntas. Aprenda a ouvir."

Anos de bullying haviam incapacitado Jason emocionalmente. Enquanto se destacava na sala de aula, ele se sentia sozinho no mundo real. A leitura o trazia conforto. Ele se sentia seguro estudando. Não podia falar com seu pai sobre esses problemas porque ele simplesmente não entenderia. Às vezes, Jason se perguntava se os médicos haviam trocado os bebês na maternidade, já que ele não tinha quase nada em comum com os seus pais. Nenhum dos pais tinha ido para a faculdade e nunca tiveram o desejo de explorar o mundo para além de Long Island.

Jason se reconhecia no professor Stein e o via como um ícone do campo. A primeira vez que ele falou com o Dr. Stein, a estrela da estatística chegou no campus com uma camisa tingida e usando uma bandana. O seu escritório parecia uma zona de guerra, com documentos empilhados a meio caminho do teto. O professor Stein tinha quatro pares de tênis de corrida no chão e uma bicicleta encostada à parede ao lado da porta.

Jason ficou mais próximo do professor Stein depois de ajudá-lo em vários projetos de pesquisa sobre *big data* e aprendizado de máquinas. Stein disse a Jason que se candidatasse ao Programa de PhD em Estatística Aplicada de Columbia.

"Se você quer ser um pesquisador, precisa de um PhD. Ele vai abrir muitas portas. Se você não quer ser um pesquisador, conseguir um PhD será uma tortura. No entanto, eu sei que você adora essas coisas. Posso ser o seu orientador e te ajudar a publicar."

Jason se matriculou no programa de doutorado no outono, apesar da confusão e ceticismo do seu pai.

Seu pai estava menos entusiasmado, perguntando: "O que é um PhD? Quanto tempo demora?

"Um doutorado em Filosofia."

"Você vai estudar Filosofia agora? Maravilhoso."

"Não, pai. É só o nome, mas as pessoas fazem doutorado em todos os tipos de campos. É o grau mais alto que você pode conseguir. Deve demorar uns cinco anos."

"O que você vai fazer durante mais cinco anos em Columbia? Vai escrever artigos de matemática? Quem vai pagar por isso? Nem sequer podemos pagar a nossa hipoteca, que dirá mais cinco anos na sua universidade chique da Ivy League."

"Querido, isso é ótimo. O Jason está se destacando em Columbia. Precisamos apoiá-lo", disse a mãe.

"Apoiá-lo financeiramente por mais uma década?"

"Pai, eu recebi uma bolsa. Os programas de doutorado exigem que você sirva como assistente de ensino. Eles oferecem vinte e cinco mil dólares por ano."

"Onde você pode viver em Nova York com vinte e cinco mil dólares?

"Eles nos dão alojamento, pai. Columbia tem um alojamento em Morning Side Heights. O meu apartamento fica a cinco minutos a pé do campus principal."

"E o que você vai fazer depois de todos esses estudos, filho? Por que você não vai trabalhar em um desses laboratórios de ideias ou em Wall Street? O filho do Johnny estudou negócios na NYU e conseguiu um emprego ganhando oitenta mil dólares por ano trabalhando em um fundo de investimentos. Ele só tem vinte e dois anos. Imagina fazer oitenta mil dólares aos vinte e dois anos."

"Alguém com um doutorado em estatística poderia ganhar milhões de dólares em Wall Street. Estou ganhando habilidades que qualquer grande empresa gostaria de ter", explodiu Jason.

Mesmo que Jason só quisesse escrever artigos para revistas e resolver problemas complexos, ele precisava contar ao pai sobre o potencial para ganhar dinheiro. O seu pai trabalhava como um animal e não via como as pessoas podiam recusar milhões de dólares por algo menos lucrativo, mesmo que isso as fizesse felizes. Ele não conseguia entender alguém seguindo sua paixão. Para ele, um emprego era apenas um emprego; algo que você precisava fazer para sobreviver. Todos os seus amigos pensavam da mesma forma. Trabalhavam para sobreviver. O pai de Jason se aposentaria se ganhasse na lotaria e pudesse se sentar e assistir os Giants jogarem futebol. Ele não tinha hobbies. O seu corpo doía na maioria dos dias, por isso ele não dirigia o percurso necessário para jogar golfe.

Apesar da confusão do pai, Jason se matriculou no programa de doutorado de Columbia. A maioria dos alunos frequentam as aulas nos primeiros dois a três anos e fazem os exames correspondentes às suas áreas de especialidade. Uma ou duas semanas depois, os alunos são interrogados por um comitê durante os exames orais. Ao mesmo tempo, os estudantes de doutorado precisam trabalhar em suas propostas de dissertação com o objetivo de escrever uma série de artigos publicáveis, ou um trabalho maior, que faça uma contribuição significativa para o campo acadêmico. Os estudantes recebem o título ABD, que significa "tudo menos dissertação", depois desse longo e, aparentemente, interminável processo. Algumas pessoas brincam que ele deveria ser chamado de "tudo menos o diploma." O aluno médio de doutorado na Universidade de Columbia se forma em seis ou sete anos.

Metade dos doutorandos de todo o país nunca

terminam o curso por uma variedade de razões. Esse, no entanto, não era o caso de Jason. Ele completou todo o curso em dois anos e fez dois exames completos na mesma semana. Ele havia pensado sobre o seu tópico de dissertação desde o primeiro dia. Defendeu a sua proposta apenas uma semana depois dos exames orais. Nem mesmo o professor Stein, seu orientador, percebeu que Jason já havia escrito metade da sua dissertação antes da proposta de defesa. Jason terminou a dissertação e a defendeu seis meses depois da sua proposta de defesa.

Stein ficou impressionado com o brilhantismo de Jason. Pediu que ele ficasse por mais um ano como pós-doutorando, a fim de aumentar a sua produção de publicações, o que o ajudaria a melhorar as chances de conseguir um emprego como professor.

Os pais de Jason ficaram ainda mais confusos quando ele lhes disse que ficaria em Columbia como pós-doutorando, ganhando cinquenta mil dólares.

O seu pai o repreendeu, "E um emprego? Você sequer pensa nisso? A carreira do meu filho é ser estudante. Por que você não vai para a faculdade de direito agora? Talvez fazer um segundo doutorado em filosofia ou nos clássicos?"

"Isso vai aumentar as minhas chances de conseguir um trabalho de pesquisa melhor", respondeu Jason.

O pós-doutorado compensou quando Jason conseguiu publicar seis artigos com o professor Stein em importantes revistas acadêmicas. Jason fez entrevistas em quinze instituições e recebeu três ofertas de emprego. Ele não queria se mudar para Iowa ou Nebraska e recusou duas grandes universidades de pesquisa por um emprego em uma universidade privada de médio porte em Manhattan.

6

Jason lia e-mails sentado em seu escritório na Universidade de Manhattan. Uma estudante do segundo ano bateu à porta.

"Pode entrar", respondeu ele.

"Olá, Professor White. Estou na sua turma de introdução a estatística. Eu tenho uma pergunta sobre a minha prova."

"Sim. Em que posso ajudá-la?

Jason gostava de ensinar, mas ele realmente odiava dar aulas de introdução. A maioria dos seus alunos frequentava essa aula porque era um pré-requisito. Ele não suportava estudantes privilegiados. Seus pais nunca o ajudaram na faculdade e Jason sentia que os alunos precisavam crescer e descobrir as coisas por conta própria.

"Sr. White."

"Dr. White", ele interrompeu.

"Desculpe! Dr. White, eu queria saber se poderia repetir a prova? Eu tirei setenta. Tenho uma cópia aqui. O senhor não entende. Eu quero ir para a faculdade de direito de Columbia. Preciso de uma nota melhor para garantir que isso não estrague a minha média."

"Posso ver a sua prova?"

Ela entregou o documento.

"Suas respostas para as perguntas três, quatro e cinco não fazem sentido", respondeu ele. "Essas eram questões abertas sobre metodologia. Eu disse em duas aulas que faria essas perguntas na prova. Você estava presente? Essa era uma pergunta fácil de responder."

"O senhor não entende. Eu preciso de uma média A e cento e setenta no LSAT para entrar na faculdade de direito de Columbia, NYU ou Yale. Não preciso de estatísticas para ser advogada. Eu acho que essa aula seria mais fácil se o senhor nos desse um guia de estudo. O professor Roberts dá aos alunos guias de estudo. Precisei sair de férias com a minha família por uma semana e faltei algumas aulas."

"Lamento que as minhas aulas entrem em conflito com as suas férias familiares. Talvez mamãe e papai possam pensar nisso no futuro. Não vou mudar a sua nota."

"Se o senhor olhar aqui..."

"Não vou mudar", ele interrompeu. "Estude mais da próxima vez. Há muitos jovens que querem entrar na faculdade de direito. Se fosse tão fácil conseguir um diploma, qualquer idiota na rua seria advogado."

"Estou pagando muito dinheiro para estudar aqui. Eu mereço professores mais compreensivos", disse ela.

Jason realmente era um ótimo professor. Mesmo sendo duro, muitos estudantes o amavam, uma vez que ele passava inúmeras horas os orientando e trabalhando com eles em projetos de pesquisa acadêmica. Na verdade, três alunos tiraram tempo para escrever para o comitê de posse, contando como Jason havia trabalhado com eles em um artigo que os ajudou a serem aceitos em importantes programas de pós-graduação. No entanto, Jason não suportava jovens que sentiam que mereciam tudo sem precisarem estudar. Ele não teve nenhuma orientação dos pais durante os seus estudos e precisou sobreviver por conta própria enquanto perseguia sua graduação e pós-graduação. Ele estudava o dia inteiro e trabalhou duro para alcançar seus objetivos acadêmicos. Como resultado, ele não conseguia ter empatia por estudantes que não investiam tempo e esforço.

O telefone tocou no escritório de Jason.

"Jason, é a Betty Anne. Como vai você?"

"Oi Betty Anne. Em que posso ajudá-la?"

"Olha, estive revisando o relatório de avaliação outra vez e encontrei alguns parágrafos que podíamos reforçar. Essa é uma parte realmente importante da próxima avaliação do Comitê Estadual de Ensino Superior."

"Betty Anne! Essa é a quinta maldita rodada de edições. Minha nossa."

"Desculpe, mas pedi à diretora assistente para revisar novamente e ela fez comentários usando o controle de alterações."

"Vocês administradores não têm nada melhor para fazer? Eu preciso ensinar, conduzir pesquisas e me encontrar com quinze alunos para reuniões de orientação. Não posso continuar trabalhando nesse relatório."

"Nós realmente agradeceríamos se você pudesse revisá-lo novamente. Por favor, faça todas as alterações necessárias usando o controle de alterações."

"E eu realmente agradeceria se você parasse de me fazer perder tempo. Não há mais ninguém que possa ajudar você com isso? Estou terminando uma proposta de bolsa de quatrocentos mil dólares da Fundação Nacional de Ciência com limite para amanhã. O seu relatório é para daqui a seis semanas."

Antes que Betty Anne pudesse dizer mais uma palavra, Jason desligou o telefone. Ele havia se tornado um acadêmico porque queria ensinar e fazer pesquisa. A burocracia aparentemente interminável o enlouquecia.

Jason inspecionou a sua caixa de e-mail. Uma nova mensagem do reitor havia acabado de chegar com "decisão de posse" no título do assunto.

Caro Jason,

Lamento informá-lo de que você não foi efetivado. Por favor, a avaliação completa do comitê segue abaixo. Irei destacar as principais conclusões. A comissão acredita que, embora você seja um estudioso prolífico, sua pesquisa é desfocada. Você publicou sobre uma ampla variedade de tópicos, desde o uso de estatísticas para melhorar a produção em cadeias de suprimentos para empresas, até práticas de revista da polícia de Nova York. Seu trabalho é estatística aplicada e não avança no campo propondo novos métodos ou teorias. Em segundo lugar, a comissão chamou a atenção para muitas avaliações negativas de ensino, particularmente por parte dos estudantes do ensino superior. Enquanto alguns estudantes comentaram que você tem muito conhecimento, outros acham que você não quer se encontrar com eles. Alguns alunos acham que você é rude e muito brusco. Por último, você fez parte de alguns pequenos comitês e evitou outros maiores que consomem mais tempo e têm um impacto maior.

Sinceramente,
Reitor Carter.

Jason se levantou da cadeira e fechou a porta do escritório com força. Ele abriu o PDF e começou a analisar sua avaliação de posse.

Depois de uma hora e meia lendo cada palavra do documento, ele ligou para o gabinete do reitor. Jason não queria perder tempo com o diretor do departamento, visto que ele era um dos revisores.

"Escritório do Reitor Carter", respondeu a secretária.

"Gostaria de falar com o Reitor Carter."

"Ele está em uma reunião. Posso anotar o recado?"

"Ele tem tempo para uma reunião hoje? É urgente. Eu realmente preciso falar com ele."

"Quem fala?"

"Jason White."

"Lamento professor White, mas o calendário do reitor está cheio essa semana. Ele tem disponibilidade para daqui a duas semanas. O senhor está livre daqui a duas semanas às 9h?"

Jason desligou o telefone. Soltou um grunhido zangado. Ele não podia acreditar que não havia sido efetivado depois de tudo o que havia sacrificado. Jason havia trabalhado como um animal nos últimos anos para publicar como uma máquina. Ele trabalhou noites e fins de semana e havia sido orientador de dezenas de estudantes de doutorado.

Jason se levantou e percorreu o corredor, invadindo o gabinete do reitor.

"Olá, Professor White. O reitor Carter está em uma reunião."

"Preciso vê-lo agora", Jason gritou.

"Senhor, não pode entrar na sala."

Jason passou pela secretária e abriu a porta. O reitor estava sentado no sofá, tomando café e conversando com os reitores assistentes.

"Professor White. Estou ocupado. Podemos conversar mais tarde?"

"Eu quero conversar agora."

O reitor pediu que as outras duas pessoas saíssem da sala.

"Presumo que tenha recebido o meu e-mail", disse ele, enquanto ajustava a gravata. O Reitor

Carter estava na universidade há trinta e cinco anos. Ele havia subido a escada administrativa passando por cima de outras pessoas. Era uma raposa política. Havia rumores de que ele se tornaria o próximo presidente da universidade, uma vez que o atual havia anunciado no mês passado que iria se aposentar.

"Como você pode não me efetivar? Eu trouxe milhões de dólares para essa universidade."

"Verdade! Você recebeu vários subsídios importantes. Mas Jason, você precisa compreender que há opções em outras universidades. Nessa prestigiada instituição estamos à procura de estudiosos que estão focados em avançar no campo."

"Eu publiquei quarenta artigos e dois livros por grandes editoras universitárias."

"Um dos seus livros é sobre gestão de cadeias de suprimentos e, o outro, analisa crimes violentos e práticas policiais. Esse é o problema. As suas avaliações de ensino são médias. E o seu serviço é inexistente. Os outros membros da comissão sempre se queixam sobre você e argumentam que você é brusco demais e que não tem competências sociais."

"Quando foi a última vez que você publicou um livro? Você tem um doutorado em educação. O que você estudou? Gerenciamento de Tempo. Quero dizer, me poupe. Como é que você conseguiu ser efetivado aqui? Qual foi a sua contribuição para o campo? Você disse aos professores do jardim de infância para não desperdiçarem tempo? Uma pesquisa fascinante. Estou surpreso que você não tenha ganho o Prêmio Nobel", gritou Jason.

"Jason, não estamos falando de mim."

"Eu me matei publicando e trazendo dinheiro para esse lugar. Orientei inúmeros alunos e os ajudei a publicar artigos. Ok, talvez eu seja duro com os estudantes de vez em quando, mas eu ensino um monte de idiotas, que só querem um diploma e não se importam em aprender. Duas horas atrás uma aluna me disse que precisa de um A porque quer estudar direito em Columbia. Ela tirou um C na minha cadeira e saiu de férias com a família no meio do semestre. É um insulto."

"Já chega, Jason. Não quero ouvir mais nada", explodiu o Reitor Carter.

"Eu lamento não gostar da burocracia universitária. Perco todo o meu tempo sentado em comitês discutindo se a rubrica deveria ter uma vírgula ou um ponto e vírgula. É uma perda de tempo. Eu publiquei mais do que qualquer outro professor aqui."

"Você tem um ano para conseguir um emprego. Talvez a academia não seja para você. Que tal trabalhar em um laboratório de ideias? Talvez você possa arranjar um emprego em Wall Street. Estamos à procura de professores e acadêmicos aqui."

O rosto de Jason se encheu de raiva. Ele se levantou e começou a caminhar em direção à saída.

"Nós também lamentamos. Queríamos que desse certo e estamos desapontados por você não ter tido o resultado esperado."

Naquele momento, o sangue de Jason ferveu. Ele foi até o Reitor Carter, fechou o punho e lhe deu um soco.

"Você arruinou a minha vida", ele grunhiu com raiva e continuou a socá-lo.

"Jason pare! Segurança! Segurança!"

A secretária invadiu a sala. "Faça ele parar!" Ela voltou correndo e chamou a segurança.

"O reitor está sendo atacado por um professor. Venham depressa! É uma emergência."

Jason não parava de gritar. O sangue escorria do rosto de Carter. Jason o empurrou novamente e começou a esmurrá-lo pelo corpo.

Os policiais se apressaram e conseguiram tirar Jason de cima do reitor. Eles o atiraram contra a parede e apertaram as algemas ao redor dos seus pulsos.

"Vamos. Você vem com a gente", ordenou um oficial. O outro policial prestou socorro a Carter, que estava deitado no chão, ofegando de dor.

"Você tem o direito de permanecer em silêncio. Tudo o que disser pode ser usado contra você no tribunal. Você tem direito a um advogado. Se não puder pagar um advogado, o Estado indicará um."

"Conheço os meus direitos de Miranda", interrompeu Jason. "Do que estou sendo acusado?"

"Assalto e agressão."

A polícia levou Jason para fora do prédio e o escoltou até a viatura. Vários estudantes estavam reunidos no local. Não é todo dia que se vê um professor sendo preso no campus.

7

"Entre no banco de trás", instruiu um dos polícias.

Uma estudante, que atuava como editora-chefe do jornal do campus, tirou algumas fotos de Jason sendo escoltado pela polícia. Aquela seria uma grande oportunidade para ela, que poderia vender as fotos para os meios de comunicação.

"O que você estava pensando, cara? Você acabou com o rosto daquele velho", explicou o oficial.

"Eu não queria machucá-lo. Perdi o controle", disse Jason. "Você já trabalhou a vida toda por alguma coisa e teve ela tirada de você por causa de política? Acabou."

A viatura parou na cadeia municipal, um edifício velho e decrépito que parecia ter sido bombardeado em uma zona de guerra.

"Cuidado com a cabeça quando sair", disse um dos oficiais.

Jason entrou na cadeia. Aquele era o seu primeiro encontro com a lei. Ele nunca havia entrado em uma briga em toda a sua vida. O reitor Carter representava tudo o que estava errado com a academia, na sua opinião.

"Ponha as mãos na parede", instruiu a oficial de admissão enquanto o revistava.

"Ponha todos os seus pertences aqui."

"Sim, senhora", respondeu Jason.

Ela começou a tirar suas impressões digitais. Jason começou a entender que a sua vida profissional havia acabado.

Como eu vou me recuperar disso? A minha vida acabou, pensou ele. Uma lágrima começou a rolar pela sua bochecha.

"Não chore aqui, rapaz. Você está entre os lobos. Fique de frente para a parede."

A câmara tirou várias fotos.

"Vire-se para o lado. Bom."

Jason estava tão perturbado com o que havia acontecido que nem reparou que seu cabelo estava de pé. Parecia que ele havia sido eletrocutado. Para a surpresa de ninguém, essa foto circularia pelo mundo inteiro e o assombraria pelo resto da vida.

O guarda o acompanhou até a cela de retenção, conhecida como "cela dos bêbados." Essa cela ficava cheia com todos os tipos de personagens da quinta à noite até o domingo de manhã.

Jason entrou na cela e encarou o chão. Ele entrou e se sentou em um banco. A cela tinha outros vinte e cinco homens.

"Gostei dessa camisa, garoto. Parece que caberia bem no meu filho. Eu vou ficar demais, garoto", gritou um interno.

Jason estava em estado de estupor e não percebeu que o seu novo companheiro de cela estava falando com ele.

"Eu disse que gostei dos sapatos, garoto."

"Obrigado", respondeu Jason.

"Passa pra cá antes que eu parta os seus dentes."

Os olhos de Jason se arregalaram enquanto outros dois internos se aproximavam.

"É, bonitão. Esses sapatos são bem maneiros."

"Eu não quero nenhum problema."

"Tira eles", gritou um dos internos.

"Aqui. Me deixem em paz. Podem levar."

"Posso fazer a minha ligação?" Jason bateu na porta da cela em pânico.

"O quê?"

"Posso fazer a minha ligação? Quero falar com um advogado."

"Se aproxime da porta."

Jason saiu da cela e uma oficial aparentemente

sentiu pena. Ela percebeu que ele estava muito assustado.

"Você tem um advogado?"

"Não. Não tenho. Nunca precisei de um."

"Há uma lista de advogados na lista telefônica. Você não ouviu isso de mim, mas recomendo Peter Roosevelt. Ele é o melhor."

Jason ligou para o advogado.

"Roosevelt falando. Em que posso ajudá-lo?

"Estou na cadeia municipal. Estaria disposto a me representar? A minha primeira audiência é na segunda-feira pela manhã às 9:00."

"Sim. Não diga nada. Não fale com ninguém. Você está no Brooklyn ou em Manhattan?"

"Manhattan."

"Vou pedir à minha associada que vá até aí, ela pode ajudar. Você pode pagar fiança?"

"Sim. São dez mil. Felizmente, só preciso pagar dez por cento."

"Eu trabalho com o Morty. Ele é o melhor fiador da cidade. Confie nele. Ele vai te tirar daí em uma hora mais ou menos."

"Obrigado! Até mais."

Jason conseguiu pagar a fiança, meros mil dólares. Mais de noventa por cento dos presos não podem pagar fiança e ficam na prisão até a data do julgamento. Há internos que esperam meses ou até anos por julgamento. Lá se vai o julgamento justo e rápido. O sistema de justiça criminal americano está se arrebentando pelas costuras. Felizmente, Jason tinha mais de mil dólares no seu nome.

A sócia da firma de advogados o levou até o escritório.

“Olá, Jason. Sou Carly. Trabalho com o Sr. Roosevelt. Preciso que me conte tudo o que aconteceu.”

Jason recontou o evento, mas não conseguia conter a emoção. Ele chorou com o rosto entre as mãos enquanto explicava à Carly como havia espancado o reitor Carter.

"Jason, eu preciso que você se acalme. Vamos superar isso. Vou precisar falar com o reitor e perguntar se ele vai prestar queixa. Podemos negociar. Vamos resolver isso.”

Carter estava furioso com o incidente. Estava com o nariz quebrado e uma costela partida. Ele queria enterrar Jason White. A Universidade publicou um comunicado de imprensa e indicou que não comentaria uma questão jurídica em curso. Disseram que Jason White ficaria de licença administrativa enquanto uma investigação minuciosa seria conduzida.

Os jornais já haviam publicado uma versão online da história. O *Huffington Post* publicou um artigo, "Professor de Estatística Perde o Controle Após ter Efetivação Negada.” Depois de algumas horas a Associated Press pegou a história. O *New York Times*,

Washington Post, *Miami Herald*, e *Wall Street Journal* publicaram várias matérias. Cada notícia tinha a foto de Jason sendo levado pela polícia, a mesma que a estudante conseguiu vender por um preço decente.

8

"COMO O SENHOR SE DECLARA PERANTE AS ACUSAÇÕES de atentado e agressão?"

Jason olhou para o juiz e em seguida para o seu advogado. Ele usou o seu melhor terno para o tribunal e tentou manter a compostura apesar de sentir que a sua vida havia acabado. Ele não dormia mais de três horas por noite desde a sua prisão.

Uma decisão errada e a minha vida acabou, pensou Jason.

"Como se declara, Dr. White?"

"Meritíssimo, chegamos a um acordo com o promotor."

"Isso é verdade, promotor?"

"Sim, Excelência. O Ministério Público está satisfeito com os termos."

"O Dr. White irá se declarar culpado e passar

dois meses na cadeia municipal. Ele vai frequentar aulas de controle da raiva. Também pagará quinhentos dólares em multas judiciais e restituição. Finalmente, completará trezentas horas de serviço comunitário."

Jason não queria aceitar o acordo, mas não tinha outra opção. Agressão em primeiro grau podia resultar entre três e até vinte e cinco anos de prisão, de acordo com as leis do Estado de Nova York. A Universidade queria cortar laços com ele o mais rápido possível e o reitor foi implacável em seu testemunho à polícia. Ele disse que processaria Jason por danos.

Tudo havia acontecido tão rápido. Jason gastou mais de quinze mil dólares com a sua advogada particular. Ela fez vários telefonemas e explicou a Jason que fazer um acordo era a única saída.

"Eu tenho de cumprir pena de prisão? Agora serei um criminoso condenado?"

"Eu sei, Jason. Não era isto que você queria. Mas estamos tentando manter você fora da prisão durante anos. Há testemunhas. O reitor passou dois dias no hospital. Essa é a nossa única opção."

"A minha vida acabou."

"Você não vai ser a primeira pessoa do mundo a ter ficha criminal. Você tem um PhD. Vai ficar bem."

Ela disse isso sabendo que era uma mentira branca, se não uma completa mentira. As pessoas mantêm registros criminais para sempre nos Estados Unidos. A foto de Jason havia sido espalhada pela mídia e havia mil e quinhentos retweets do seu artigo nas primeiras quatro horas depois de a história ter vazado. As pessoas nas redes sociais podem ser inacreditavelmente cruéis. Elas se escondem atrás das telas e escrevem tudo o que querem. O fato de que a sua foto começou a flutuar pela internet não foi de grande ajuda.

Os repórteres começaram a ligar para antigos colegas. Nenhum professor da Universidade de Manhattan o defendeu ou teve algo simpático a dizer sobre ele. Betty Anne chegou a dizer: "Jason era um cara inteligente, mas impossível de trabalhar. Ele tinha um temperamento ruim."

Alguns ex-alunos disseram aos jornalistas que Jason era descontrolado. "Sim! Não me surpreende. Ele parecia um maluco. Ele é insano."

A única pessoa disposta a dizer algo bom sobre ele era o seu antigo mentor e orientador de dissertação, o professor Stein, que disse ao *New York Times*: "Jason é um acadêmico fantástico e uma pessoa maravilhosa. A academia é muito estressante. Embora eu não aprove a violência, não devemos julgar alguém pelo seu pior dia."

Stein, que havia sido vítima de muitos vídeos online e piadas na internet por sua natureza estranha e piadas ruins, disse a um repórter do *Wall Street Journal*: "Olha, a academia pode ser um lugar tóxico para a sua saúde mental. Nos concentramos tanto na saúde mental dos nossos alunos e frequentemente esquecemos dos professores. Não fui efetivado em Harvard e isso acabou comigo. Caí em uma depressão profunda". O professor Stein não precisava se preocupar em ser politicamente correto. Ele havia tomado posse e era intocável na academia.

Jason leu os jornais e começou a chorar quando olhou para as palavras do seu antigo mentor. Ele não tinha muitos amigos. Mesmo tendo namorado esporadicamente como professor, nunca se casou. Ele se sentia mais sozinho do que nunca e para ele significava muito que o professor Stein havia saído em sua defesa. As dezenas de estudantes que Jason orientou temiam dizer qualquer coisa porque não queriam sofrer com a ira do reitor.

O mundo podia ser um lugar frio, mas ficou ainda mais frio e escuro para Jason. Ele se tornou um pária da noite para o dia. Poucas pessoas, se alguma, já haviam se arriscado por ele antes. Depois de se declarar culpado de agressão, ele sabia que a sua vida seria dividida em dois períodos: 1) AA (antes da agressão) e 2) DA (depois da agressão).

A advogada de Jason pôs uma mão nas suas costas. A sua mente estava funcionando a milhões de quilômetros por hora. A voz profunda do juiz o trouxe de volta ao presente. Jason olhou para trás e viu as vinte e uma câmeras filmando-o, além de repórteres rabiscando o mais rápido possível em seus blocos de notas. Vieram assistir a execução pública do professor Jason White.

"Dr. White, aceito a recomendação do promotor. O senhor será condenado a dois meses de prisão e seis meses de supervisão. Deve cumprir trezentas horas de serviço comunitário e pagar as multas do tribunal, que totalizam quinhentos dólares."

Jason encarou o chão.

"Dr. White, deve evitar contato com a vítima como resultado da ordem de restrição. O senhor não pode pisar no campus da Universidade. Outra pessoa pode recolher os seus pertences. O senhor entende?"

"Sim, Excelência. Eu entendo."

"Oficial de justiça, leve o Dr. White."

O oficial se aproximou e colocou as algemas em volta das mãos de Jason.

"Vai ficar tudo bem", disse a sua advogada.

O som dos flashs das câmeras ecoou na sala do tribunal enquanto o oficial de justiça o escoltava para longe. Os repórteres começaram a falar para as câmeras.

"O juiz aceitou o acordo e sentenciou o Dr. Jason White a dois meses na cadeia municipal", disse um dos repórteres para a câmera. "É provável que a universidade o demita, agora que ele é um criminoso condenado."

9

"Interno White. Está na hora de ir. Deixe os lençóis na cama."

Jason não conseguia dormir porque estava acordado desde as 3h. Era difícil para ele acreditar que dois meses na cadeia já tinham passado. Ele estava animado para deixar a prisão, o que não tinha sido uma experiência agradável. Os guardas trocaram Jason de lugar três vezes, depois que os seus dois primeiros companheiros de cela o espancaram – Jason não tinha dado a eles a sopa que comprou com os poucos dólares que a sua advogada havia colocado em sua conta na loja da cantina. No entanto, deixar a prisão significava que Jason precisava enfrentar o mundo real – um mundo que o via não só como um professor maluco, mas também como um criminoso condenado.

O guarda escoltou Jason através do complexo. Eles atravessaram o pátio e passaram por uma quantidade, aparentemente, interminável de portas de metal que faziam um barulho inesquecível enquanto fechavam.

"Eu, com certeza, não vou sentir falta do som dos portões", disse Jason ao agente.

"Sim, senhor. É bom não voltar pra cá. Mantenha a cabeça no lugar lá fora. Você vai ficar bem."

"Agente Jasmin, o interno White está de saída."

"Interno White, por favor, vá até aquela sala e vista as suas roupas de civil. Volte aqui quando acabar e eu vou lhe mais instruções."

"Obrigado, oficial."

Jason emergiu alguns minutos depois com as suas próprias roupas, incluindo a gravata borboleta. A camisa, que ainda tinha gotas do sangue do reitor, trouxe as memórias do dia infame.

"Passe por aquela porta e vire à direita. Precisa resgatar os seus pertences".

Jason passou pela porta e recebeu o seu relógio, celular e carteira. Ele foi em direção à saída e passou pelos portões.

Mas o que é isso? Eu não entendo, pensou ele.

Jason não tinha ideia de que havia se tornado uma celebridade local. Uma onda de repórteres havia acompanhado a história e sabiam a data da sua libertação. Jason começou a suar profusamente.

Ele imaginou que o assunto havia sido esquecido. Não esperava ver dezenas de repórteres gastando tanto tempo cobrindo essa história.

Um repórter colocou um gravador no rosto de Jason e perguntou: "Professor White, o que aconteceu? Tem alguma coisa a dizer sobre as suas ações?"

Outro repórter aproveitou a deixa. "Gostaria de pedir desculpas aos seus alunos?"

Um terceiro repórter aproximou o microfone. "O que o senhor vai fazer agora?"

"Por favor, um de cada vez. Como podem imaginar, eu não esperava ver todos vocês aqui. Me arrependo de tudo o que eu fiz. Violência nunca é aceitável. Não aprovo as minhas ações. Gostaria de pedir desculpas à universidade, aos meus antigos alunos e ao reitor Carter. Machuquei não apenas o reitor, mas também os meus pais. Eles não me criaram para bater em ninguém."

"Por que o senhor fez aquilo?"

"Eu não sei. Perdi a calma depois de descobrir que não consegui ser efetivado. Caso você não saiba, a posse é um trabalho para a vida toda. Senti que a minha vida havia acabado e bati no reitor Carter depois que ele fez alguns comentários depreciativos no seu escritório. Mais uma vez, sinto muito. Isto foi um erro e eu paguei o preço."

"O que o senhor vai fazer agora?"

"Quero que todos saibam que as pessoas cometem erros. Sou apenas humano. Lamento imensamente. Vou ter aulas de controle da raiva e tentar me tornar um membro produtivo da sociedade. Acredito, sinceramente, que posso contribuir positivamente para o mundo. Agora, gostaria de voltar à minha vida. Com licença."

"Professor White, professor White", gritaram dezenas de jornalistas.

Jason correu desajeitadamente para o outro lado da rua e chamou um táxi.

"Lower East Side", gritou desesperado. "Preciso de sair daqui."

"Você é algum tipo de celebridade?"

"Não, sou apenas um homem comum", respondeu Jason.

"Cara, você é o professor que enlouqueceu. Não se preocupe, professor. Vai dar tudo certo. O senhor tem uma segunda oportunidade. Vai conseguir."

Jason olhou para baixo e uma lágrima começou a escorrer pela sua bochecha.

"Chegamos, senhor."

"Obrigado."

"Você vai ficar bem, cara. Tenha um dia abençoado."

"Obrigado, senhor. Agradeço pelas palavras. Deus o abençoe."

Jason entrou no seu edifício, construído antes da Segunda Guerra Mundial. Ele andou até ao terceiro andar e encontrou uma pilha de jornais em frente à porta. Ele havia ficado tão perturbado com o acordo judicial e a pena de prisão que esqueceu de cancelar as assinaturas. Jason adorava, mais do que qualquer coisa, tomar café de manhã cedo e ler o *New York Times*, *Wall Street Journal* e o *Washington Post*.

Ele tomou um banho para tentar se acalmar. Os últimos dois meses haviam sido muito estressantes para ele, não só fisicamente, mas também emocionalmente. Ele perdeu sete quilos porque pulava refeições enquanto estava preso. A depressão e a ansiedade começaram a aparecer e ele não conseguia reunir energia suficiente para sair da cama por dias seguidos. Como os internos não podem mostrar sinais de fraqueza na prisão, ele chorava à noite com o rosto no travesseiro.

Depois de um longo banho, Jason vestiu seu roupão favorito e ligou o computador. Ele precisava se organizar para cumprir as horas de serviço comunitário.

Ao abrir seu e-mail ele viu uma mensagem da universidade.

Caro Professor White:

A universidade rescindiu o seu contrato devido aos recentes acontecimentos. O senhor foi banido do campus e o reitor Carter entrou com uma ordem de restrição. O reitor contratou representação legal para o processo civil contra o senhor. Por favor, observe que todos os seguranças têm a sua foto e chamarão a polícia se o senhor decidir entrar no campus. Por favor, entenda que esta proibição é válida para o resto da sua vida. Reunimos o material do seu escritório e o colocamos em uma caixa. O setor de Recursos Humanos lhe enviará vários documentos importantes. Como o senhor verá, na seção quatro do manual da faculdade, crimes violentos podem resultar na perda da sua pensão.

Por favor, avise-me se tiver alguma pergunta.

Sinceramente,

Harry Green,
Escritório de Aconselhamento Legal da Universidade de East Manhattan.

Jason também recebeu uma litania de e-mails, a maioria deles cheios de ódio, vindos de pessoas que nunca o haviam conhecido.

"Bom trabalho, idiota. Coitado de mim, não consegui ser efetivado. Me deixa ir bater num velho gordo. Arranja uma vida, seu perdedor", escreveu um ex-aluno em um e-mail.

Jason foi verificar sua conta no Twitter, na qual ele costumava seguir outros professores e ficar por dentro das últimas tendências em estatística, pesquisas sobre ciências sociais e eventos atuais.

Ele não conseguiu resistir e pesquisou seu nome em várias plataformas de mídia social.

Jason rolou até o fim da página.

Um artigo intitulado "Professor Soca Reitor Após ter Posse Negada" havia sido republicado por todos os principais jornais do país. A história havia sido traduzida em várias línguas e retweetada quatro milhões de vezes. Jason cometeu o erro de checar a seção de comentários. As histórias tinham uma série de fotos, incluindo a foto do seu registro criminal.

"Não sabia que a Universidade de East Manhattan contratava assassinos em série. É, esse cara parece um psicopata."

"Tenho certeza de que esse nerd tem cadáveres enterrados na sua casa. Alguém, por favor, vá checar o armário dele. Depressa! #professormalucoéumassassino."

"Como é que as pessoas podem ser tão más? Eles nem sequer me conhecem. A minha vida acabou", disse Jason enquanto corria para a cama e começava a chorar.

Depois de uma hora em posição fetal, Jason se levantou da cama e disse a si mesmo: "Vamos lá, Jason. Não desista. Não deixes essas pessoas te afetarem."

Ele recebeu outro e-mail e várias mensagens de voz do advogado do reitor. Carter estava processando Jason por duzentos mil dólares.

Esse cara não vai desistir. Eu vou morar na rua e um cara que ganha quatrocentos mil dólares por ano está me processando por danos, pensou Jason.

Ele não sabia, mas o reitor vinha conversando com todos os seus colegas de outras universidades da área. Ele havia falado com dezenas de ex-alunos e disse apenas coisas negativas sobre Jason. Carter queria que ele entrasse na lista negra e sofresse por todo o constrangimento que havia causado.

"Jason é um péssimo professor e um péssimo colega. Mal podíamos esperar para nos livrarmos dele. O que não sabíamos é que ele era tão descontrolado", disse o reitor à um gerente de contratação em um grande banco de Wall Street.

"Nossa! Eu não sabia. Tive alguns alunos que estudaram com ele e diziam coisas boas. Eu ouvi que ele podia ser duro", respondeu o gerente.

"Ele é terrível. Fico feliz que o que aconteceu permitiu que o mundo visse que ele não é apenas uma má pessoa, mas é perigoso. Não, você não pode ter empregados batendo nas pessoas sempre que algo dá errado."

"Obrigado, reitor Carter. Vou avisar ao RH e vou falar com alguns dos meus colegas. Não queremos nenhum problema."

Jason ligou o computador e pesquisou empregos para cientista de dados na área metropolitana de Nova York no Google. A sua busca retornou dez mil resultados. Ciência de Dados era um campo em crescimento e poderia levar a empregos lucrativos em muitas indústrias diferentes. Muitas grandes empresas de Wall Street contratavam pessoas com PhD em Estatística ou Ciências da Computação.

Jason começou a escrever a sua carta de apresentação e atualizou algumas linhas no seu currículo. Ele passou as próximas quatro horas no computador enviando ambos.

Jason se candidatou para mais de duzentos empregos em uma variedade de indústrias durante dez dias, mas não teve retorno.

Ele ligou para os seus pais, que estavam preocupados com ele.

"Jason, você está bem? Nós te amamos e sempre vamos te apoiar. As pessoas cometem erros", disse a mãe.

"Estou bem, mãe. Me candidatei a muitos empregos. É difícil, porque a primeira coisa que aparece quando você pesquisa o meu nome são cinquenta artigos sobre como eu bati no reitor. É ainda pior no Facebook e no Twitter."

"Mantenha a fé. Você pode explicar durante a entrevista como você está superando esse obstáculo."

"Obrigado, mãe. Vou continuar tentando. Diga ao papai que mandei um abraço. Preciso voltar a me candidatar aos empregos. Tenho uma reunião com um caçador de talentos daqui a dez minutos."

Jason pegou o telefone e ligou para o escritório do caçador de talentos que o havia contatado.

"Posso falar com o Bob? É o Dr. Jason White."

"Jason, como você está? Obrigado por entrar em contato. Você tem credenciais impressionantes. No entanto, serei brutalmente honesto com você."

"Sem problemas, agradeço pelo seu tempo. Você pode ser honesto. Sempre prefiro pessoas que são diretas e honestas. Não preciso de enrolação. Só me diga a verdade."

"O seu registro criminal está atrapalhando. Se você não tivesse a acusação de agressão, eu poderia colocá-lo em vinte empregos diferentes amanhã. Você tem um PhD da Ivy League em Estatística e experiência em programação de computadores."

"Todo mundo acha que eu sou louco e que vou perder o controle?"

"É que existem várias histórias que aparecem quando as pessoas pesquisam seu nome no Google.

Tenho bons contatos com os quais conversei e eles me disseram, extraoficialmente, que escolheram outros candidatos porque não queriam correr o risco."

"Você está me dizendo que não há uma única empresa disposta a falar comigo? Eles nem sequer estão dispostos a me deixar explicar o que aconteceu? Eu não matei ninguém. Não sou um assassino em série. Não sou um criminoso experiente. Sou um professor de estatísticas nerd que cometeu um erro."

"Eu sei, Jason. Sinto muito. Gostaria que houvesse mais que eu pudesse fazer. Esgotei todos os meus recursos. Desejo tudo de bom para você."

Jason precisava sair do apartamento. Ele havia ficado trancado por quatro dias. Vestiu a calça de moletom da Universidade de Columbia e penteou o cabelo com as mãos. Pegou um velho par de tênis de corrida e procurou por sua carteira, que estava escondida debaixo de uma pilha de papéis.

"Preciso de ar fresco. Vai dar tudo certo. Eu sou forte. Vou ultrapassar isso", disse Jason a si mesmo.

Ele desceu as escadas e abriu a porta. O sol feriu os seus olhos, já que ele não saía há quatro dias. Jason começou a caminhar pelas ruas de Manhattan.

10

"William, para de miar. Você é um gato muito mau. Não acorde a Jazmine." Olhei para o relógio e pensei comigo mesmo, *Hoje vai ser um grande dia, Ricky. Vamos dominar o tribunal.*

Vesti meu terno e gravata e deixei comida do gato no chão. William havia me deixado maluco a noite toda pedindo comida. Gatos são persistentes quando estão com fome. Eles podiam ensinar aos jovens advogados uma coisa ou outra sobre determinação.

Me lembrava de ter descido as escadas e saído do meu apartamento no Upper West Side. Andei até o meu café favorito.

"Sr. Gold. Como vai o senhor? Como está o meu cliente favorito? Está elegante hoje", disse o empregado da loja.

"Trabalhando duro. Lutando pelo povo. A justiça nunca dorme, meu amigo."

"Continue lutando. As pessoas precisam de você."

"Vou continuar. Te vejo depois. Não trabalhe demais."

Sempre tive jeito com as pessoas. Eu tinha um dom e podia iniciar uma conversa com qualquer um, desde um banqueiro de investimentos ao empregado da loja local. Adorava falar com as pessoas e fazê-las se sentirem confortáveis comigo.

Desci a rua e cheguei ao meu escritório, que tinha a seguinte declaração na janela: "Ricky Gold, Escudeiro. Lutando por você". Abaixo se lia: "Todos merecem a melhor defesa".

"Oi, Maria. Como está a funcionária mais eficiente de Nova York hoje?"

"Estou ótima, Sr. Gold. Obrigado por perguntar. O Sr. Jones está pronto para o senhor."

Me lembro de sentir que havia percorrido um longo caminho desde o gabinete do Defensor Público. Havia atingido os meus objetivos e aberto o meu próprio escritório. Eu aceitava casos que outros advogados não se importavam em aceitar, de traficantes a membros de gangues.

"Sr. Jones. Como estão as coisas? Faz duas semanas desde a última vez que nos falamos. Café? Chá?"

"Estou bem, Sr. Gold."

"Me chame de Ricky. Por favor, venha comigo."

O meu escritório era imaculado e tinha uma grande estante com dezenas de pesados livros de direito. A verdade é que eu não os usava frequentemente, mas eles ficavam bem nas minhas prateleiras. Hoje em dia, qualquer caso pode ser encontrado online através de ferramentas legais de busca. Melhor ainda, todos os casos da Suprema Corte podiam ser lidos online gratuitamente.

Ao lado dos livros de direito, eu tinha dezenas de livros sobre estratégia de defesa legal e incontáveis livros de não-ficção sobre o sistema judicial, juvenis, a guerra contra as drogas, e vários outros tópicos de assuntos atuais. Eu passava horas devorando esses livros, o que me dava ideias quando redigia memorandos e elaborava uma defesa.

"Sente-se, Brian."

Brian Jones era um jovem de dezoito anos que vivia no Bronx. Como ele morava em um bairro com altos índices de criminalidade, a polícia continuava a assediá-lo, amparada pela lei de revista de Nova York. Em um único dia polícia o deteve cinco vezes e o atacou verbalmente.

"Sente-se. Você fez o que eu recomendei?"

"Sim, Sr. Gold. Tenho a fita aqui."

"Pode tocá-la para mim?"

"Sim, senhor. Gravei todo o encontro. Tem quatro minutos."

Brian apertou o play.

"Mãos ao ar! Queremos revistar você", gritou o oficial de polícia, agressivo.

"Fiz alguma coisa errada, policial?"

"Você estava encarando a gente."

"Vi que vocês estavam me seguindo. Fiquei nervoso. Eu não fiz nada de errado. Só estava andando pelo meu bairro."

"Andando pra onde? Pra comprar drogas, garoto?"

"Não senhor."

"Não minta pra mim, seu marginal. Prendemos o seu tipo todos os dias vendendo crack."

"Senhor, não sou traficante. Estou matriculado na Faculdade Comunitária do Bronx e quero ser policial."

"Claro que está. Para com isso."

O policial empurrou Brian Jones contra o carro e começou a revistá-lo.

"Está me machucando, oficial. Senhor, estou cooperando. Eu não tenho drogas."

"Cala a boca."

"Por que vocês continuam me parando? O senhor já me parou três vezes essa semana."

"Esse é um bairro com tráfico de drogas, garoto, e você continua ficando nervoso e olhando pra trás."

"Isso é crime?"

"Cala a boca, marginal." O policial sacou a arma. "Quem é o durão agora. Você não é tão durão com uma arma na boca."

As lágrimas começaram a rolar no rosto de Brian enquanto ele ouvia a gravação.

"Agora sai daqui. Agir desse jeito vai acabar te matando, garoto", gritou o oficial.

Brian não disse nada. Ele limpou as lágrimas dos olhos. Ele não odiava a polícia ou as autoridades. O seu irmão trabalhava no sistema penitenciário e sua madrasta era uma policial aposentada.

"Isso é uma loucura! Brian, não é ilegal viver no Bronx em uma vizinhança com alta criminalidade. A pobreza não é um crime. Os policiais estão abusando da Lei de Revista. Isso é grande. Temos a prova que precisamos para responsabilizar a polícia e parar a prática de criação de perfis."

"Eu não quero mais problemas com a polícia. Estou estudando justiça criminal e quero trabalhar na força. Meu sonho é me tornar detetive e subir até o FBI. Não quero que isso prejudique as minhas chances. Não quero ser rejeitado."

"Vai ficar tudo bem, filho. Isso não vai acontecer. Temos a oportunidade de impedir que ocorram quaisquer injustiças. Tem havido processos contra a Lei de Revista. Vou te enviar alguns artigos. Nós, o povo, devemos responsabilizar a polícia. É o nosso dever, Brian. Há mais de trinta e oito mil policiais em Nova York. Embora eu acredite que a maioria é gente honesta e trabalhadora, há sempre alguns polícias que acreditam que estão acima da lei. Não vamos deixar que isso aconteça."

"Tem razão, Sr. Gold."

"Me chame de Ricky, filho. Penso no meu pai quando me chamam de Sr. Gold. Ainda não sou tão velho assim", disse eu, rindo.

"Qual é o próximo passo, Ricky?"

"Me deixe fazer uma cópia da fita. Você tem uma cópia no seu computador também? Precisamos de backups."

"Sim, senhor. Eu tenho."

"Ótimo. Vou contatar uma jornalista que trabalha no *New York Times* e escreve sobre questões policiais. É uma velha amiga minha. Isso vai ser uma história de destaque. Nós também vamos processar a polícia por violar a Quarta Emenda. Já aprendeu sobre isso no seu curso de justiça criminal?"

"Ela protege as pessoas contra buscas ilegais e apreensões."

"Muito bem, garoto."

"Se prepare. Vamos processar a polícia de Nova York."

"Um processo?"

"Sim, senhor. É assim que fazemos mudanças. É assim que impedimos que isso aconteça a outras pessoas como você. Precisa ser corajoso. Você tem o meu celular. Me ligue se alguém te ameaçar ou algo do tipo. Vamos fazer história, Brian. Lutar pela justiça é o nosso dever. Eu adorei."

"Não posso pagar por um advogado."

"Vou assumir o seu caso de graça. Ainda bem que o Kobe nos colocou em contato. Você sabe que eu representei o Kobe em uma violação da Quarta Emenda, certo? Apesar dos opositores, vencemos no tribunal. Preciso checar com o seu primo e ver como ele está. Ele tem se mantido fora de encrencas?"

"Sim, ele está ótimo. A mulher dele acabou de dar à luz a uma menina."

"Isso é ótimo. Vou ligar pra ele. Ele é um cara legal."

"Ele vai adorar falar com o senhor."

"Preciso que você se mantenha forte. Lutar pela justiça pode ser difícil. Juntos podemos forçar a polícia a mudar."

A minha paixão era contagiosa. Se eu não houvesse me tornado advogado, realmente acho que poderia ter sido um orador motivacional.

"Vou acompanhá-lo até a porta", disse eu. "Vamos fazer com que a polícia reforme as suas práticas, meu amigo."

"Sr. Gold, o Sr. Cruz está esperando."

Me lembro de me virar e ver o Sr. Cruz sentado no canto do meu escritório. Oscar Cruz, conhecido como Slappy, era membro do MS-13. Oscar, como muitos emigrantes de El Salvador, fugiu do país para escapar de uma brutal guerra civil que durou mais de dez anos e matou mais de setenta mil pessoas. Os seus pais se mudaram para Los Angeles e trabalharam dia e noite em uma fábrica. Eles viviam em um bairro difícil e levavam seus dois filhos para o Parque MacArthur, que se tornou um ponto de encontro para os fundadores do MS-13. Ao contrário do que se acredita, o MS-13 foi formado na década de 1980 em Los Angeles, não em El Salvador. A gangue consistia em jovens salvadorenhos marginalizados que eram intimidados na escola. As crianças gozavam deles pela forma como falavam inglês, assim como pelo sotaque espanhol da América Central. O MS-13 proveu esses jovens marginalizados com amizade e proteção.

Os pais de Oscar mais tarde se mudaram para Nova York para escapar da violência que assolava Los Angeles na década de 1990. Eles tinham vários primos que trabalhavam em uma fábrica em Nova York e se ofereceram para ajudá-los a encontrar um emprego. O pai de Oscar morreu de um ataque cardíaco quando ele tinha 16 anos e sua mãe trabalhava vinte e quatro horas por dia tentando sustentar sua família.

Oscar começou a sair com outros salvadorenhos do seu bairro e entrou para a vida de gangue aos dezessete anos. Ele subiu de escalão e se tornou o líder de um grupo local. Aos vinte e cinco anos, se tornou um dos líderes. A gangue de Oscar tinha trinta membros, com idades variando entre treze e vinte e seis anos. A polícia prendeu Oscar várias vezes e ele cumpriu dois anos na prisão do estado de Nova York por extorsão. Embora o caso fosse fraco porque as testemunhas tinham medo de depor, Oscar teve um defensor público que o convenceu a aceitar o acordo.

"Oscar! Você é sorrateiro. Eu não te vi aí. Quer um café? Maria, por favor, traga um café pra ele. Muito obrigado", eu disse, enquanto dava uma palmada no ombro de Oscar.

"Claro, Sr. Gold."

"Obrigado, Maria. Ela é a melhor, Oscar. Sou abençoado por ter a equipe mais trabalhadora de toda a Nova York. Maria está terminando a graduação e vai se tornar a minha assistente jurídica. Ela conhece o sistema legal como a palma da mão. Quero que ela continue estudando e se forme em direito. Você sabia que ela fala francês, espanhol e alemão? Ela é ótima."

Mesmo brigando no tribunal, eu era uma pessoa

diferente no mundo real. Adorava empoderar as pessoas e sentir que podia fazer a diferença. Três outros advogados haviam se recusado a representar Oscar porque ele era um conhecido membro de gangue. No entanto, eu não pestanejei e aceitei o caso sem qualquer hesitação. Aceitar esses tipos de clientes levou outros advogados a me chamarem de advogado de gangues e me criticarem por representar pessoas de todas as esferas da vida.

Maria entregou o café a Oscar. "Aqui está, Sr. Cruz. O senhor quer creme, açúcar?"

"Não, obrigado, eu realmente agradeço", respondeu Oscar enquanto se levantava. Ele ajustou o boné de beisebol e pegou o café. Oscar era educado e tinha boas maneiras. Ele tinha uma presença calma e você nunca pensaria que ele comandava uma das gangues mais perigosas de Nova York.

"Vamos para o meu escritório, Oscar. Quero conversar com você sobre algumas coisas. Grandes notícias."

"Sente-se, meu amigo."

Oscar sentou e esfregou o bíceps. Ele tinha uma grande tatuagem que lia *La MS por vida*[1]. Tatuar símbolos de gangues demostrava a sua lealdade. No entanto, tornava mais difícil negar uma afiliação com a MS-13.

Oscar havia sido colocado em uma lista de injunções de gangues. A polícia o assediava constantemente e o prendeu em várias ocasiões por crimes menores. A força-tarefa contra gangues queria prender Oscar de qualquer maneira possível. Estavam fartos de prendê-lo e as acusações serem retiradas porque as testemunhas tinham medo de apresentar queixa.

A força-tarefa declarou à equipe: "Vamos atrás do Sr. Oscar Cruz, rapazes. Se tivermos que quebrar alguns ovos para fazer uma omelete, que seja. Só não sejam apanhados. Precisamos fazer o que for necessário para apanhar esse cara! Ele é o manda-chuva e precisamos prendê-lo de vez. Não tenham medo de usar a força."

Oscar era envolvido com o tráfico de drogas e tinha uma rede de extorsão em Nova York. A sua gangue dominava vários quarteirões no Queens e fazia com que todos os pequenos negócios da área pagassem uma taxa. As pessoas que não pagavam a taxa, sofriam as consequências. A polícia invadiu a casa de Oscar no Queens em uma batida antidrogas às 3h da manhã. Eles arrombaram a porta e atiraram no seu cachorro. A sua namorada e a filha de três meses continuaram traumatizadas durante meses após o acontecido.

A polícia revistou a casa em busca de drogas e encontrou maconha e cocaína em quantidades grandes o suficiente para que os promotores o colocassem na prisão por dez anos em Nova York. Um policial socou e chutou Oscar depois que ele foi algemado e estava deitado no chão.

"Oscar, o seu julgamento começa daqui a três dias. Você conseguiu localizar o vídeo de segurança?"

"Eu vou conseguir. Tive um problema com a câmera, mas vou conseguir. Eu prometo. Só preciso verificar os ângulos para ter a certeza de que está tudo visível."

"Precisamos dessa fita, amigo. É muito importante. Agora, vamos rever os fatos e nos preparar para o seu testemunho. Você estava dormindo às 3h da manhã quando a polícia entrou na sua casa, atirou no seu cachorro e te deram socos e pontapés, certo?"

"Correto."

"Já introduzi as fotos como prova. Vou dizer ao júri que a polícia usou força excessiva. Então vou lhe perguntar sobre o mandado. Sr. Cruz, o senhor pediu para ver o mandado, certo?""Sim senhor. Eu disse ao oficial que queria ver o mandado dele. Ele me insultou e começou a me bater. Perguntei outra vez depois que ele me algemou. Ele me deu um chute na canela."

"Sr. Cruz, o senhor está me dizendo que o oficial de polícia nunca lhe apresentou o mandado?"

"Correto."

Sorri, esfreguei as mãos e dei uma risada.

"Qual é a graça?"

"Isso é muito bom."

"O quê?"

"Oscar, você sabe quem é o oficial que te deu um soco na cara?"

"Oficial Barry Green, certo? E daí?"

"Preciso que você mantenha isso em segredo, mas eu quero que você saiba que o Sr. Green tem sido um menino muito mau." Eu ri. "Eu não posso entrar em muitos detalhes, mas leia os jornais em alguns dias e você verá por que eu estou tão feliz. Confie em mim. É uma grande vitória para nós."

O agente Barry Green era o mesmo indivíduo que assediou o Sr. Brian Jones. Isso criaria um grande problema para os promotores já que Green estava envolvido em outros incidentes de má conduta policial. Barry Green era um jovem trabalhador do Brooklyn que subiu de escalão na polícia de Nova York. Green não tinha medo de quebrar as regras. Ele detestava burocracia e era conhecido por pegar atalhos para tirar os bandidos das ruas. Essa não era a primeira vez que alguém se queixava que o oficial Green invadiu sua casa sem um mandado. No entanto, os indivíduos nos casos anteriores temiam por suas vidas, dado os seus status de imigrantes. O Ministério Público prometeu retirar as acusações se as vítimas nesse caso se mantivessem caladas.

"Eu confio em você", disse Oscar em voz baixa.

Ele acreditava em mim porque eu nunca o repreendi pelas suas escolhas de vida. Eu não o julgava, mas via Oscar como um jovem problemático que precisava de orientação. Ele confiava em mim porque eu não o via como um líder de gangue e sempre o tratava com o maior respeito. Eu sempre dizia: "Não estou aqui para julgar você. Sou o seu advogado. Estou aqui para ajudar. Preciso que você confie em mim. Vou para o túmulo com todos os segredos que você me contar. Privilégio entre advogado e cliente, Oscar. Me ajude a te ajudar."

Continuamos ensaiando o testemunho e as questões em potencial que poderiam surgir no interrogatório. Também contratei um psicólogo que avaliou Oscar e seus familiares. O psicólogo determinou que o evento havia causado um trauma grave para a família, particularmente para a sua namorada. Ela não conseguiu dormir e nem comer durante dias após a invasão policial.

Oscar deixou o meu escritório se sentindo melhor com relação às suas chances no tribunal. Ele queria deixar a vida de gangue, mas isso se tornava mais difícil quanto mais alto subia de escalão. Ele se candidatou a trabalhos no ramo de segurança, mas todas as empresas fechavam as portas assim que viam o seu registro criminal. A liderança das gangues em Nova York e em El Salvador também ameaçaram matar Oscar se ele pensasse em deixar a MS-13. Foram eles que o forçaram a tatuar *Mara por vida* no bíceps. Ele já exibia uma tatuagem grande da MS-13 nas costas, porém os líderes nacionais queriam lembrá-lo de que só havia uma maneira de sair da gangue: morrendo.

---

1. N.T. MS para sempre.

11

"PODE POR GENTILEZA ME CONECTAR À LIZ Martinez? Sou Ricky Gold. Ela está esperando a minha ligação."

"Claro, Sr. Gold. Por favor, me dê um segundo. Sou colega dela. Ela acabou de deixar a mesa. Deve voltar em um minuto."

"Não há pressa. Agradeço a sua ajuda."

"Ricky, como vão as coisas?"

"Oi, Liz. Como vai? Tenho uma ótima história para você. Podemos nos encontrar pessoalmente? Prefiro falar tomando um café do que pelo telefone."

"Você pode me encontrar na esquina do prédio do New York Times?"

"Claro. Posso chegar lá em trinta minutos. Tudo bem para você?"

"Está bem. Até mais."

Eu senti uma sensação de formigamento percorrer o meu corpo, porque estava animado para lutar por justiça e contra a polícia de Nova York.

"Maria, volto daqui a duas horas. Pode adiar a minha reunião das três da tarde?"

"Tudo bem, Sr. Gold."

"Não importa quantas vezes eu te diga para me chamar de Ricky, você continua me chamando de Sr. Gold."

"Eu sei. Sinto muito. Nunca tive chefes que me deixassem chamá-los pelo primeiro nome."

"Não precisa se desculpar. Essa não é uma instituição de negócios. Sou apenas um cara normal lutando por justiça. Vamos fazer história hoje."

"Até mais, Ricky. Boa sorte."

"Obrigado. Te vejo daqui a duas horas."

"Tudo bem."

Era um dia quente de verão e comecei a suar enquanto viajava no metrô. *Odeio usar ternos no metrô durante o verão,* eu pensei, enquanto tirava um lenço do bolso da frente e secava as gotas de suor que se acumulavam na minha testa.

O metrô estava cheio na altura da rua noventa e três. Eu não conseguia parar de sorrir de tanta excitação. Era como uma criança no primeiro dia de escola, que mal podia esperar para ver o seu melhor amigo. Saltei do vagão do metrô e caminhei até a esquina do edifício do New York Times.

"Liz", eu gritei.

Ela era uma jovem repórter de vinte e cinco anos. Ela acenou e atravessou a rua.

"Que bom ver você, Ricky. Faz muito tempo."

"Como vai a família? A sua mãe está melhor?"

"Ela está bem. Está completando a quimioterapia."

"Diga a ela que mandei um oi. Vou pedir ao meu escritório para mandar flores."

Liz e eu crescemos na mesma rua. A sua irmã mais velha estudou comigo no ensino médio e se tornou pediatra. Liz se formou em jornalismo na Universidade de Columbia e virou repórter em tempo integral no *New York Times*.

"Preciso ligar para a sua irmã e saber como ela está. A sua família deve estar muito orgulhosa de você. Todos nós estamos. De Carle Place até o *New York Times*. Isso é fantástico. Você é incrível."

"Obrigada, Ricky. Você é muito gentil. Vamos para o café na Rua 40 com a Sétima Avenida."

Entramos na cafeteria.

"Olá! Como vai? Dois americanos, por favor."

"Sim, senhor. É para já", respondeu o barista.

"Por que você não procura uma mesa? Te encontro lá num segundo."

"Claro."

Peguei os cafés e encontrei a mesa que Liz escolheu.

"Quantas histórias você acha que foram reveladas por repórteres nesse café?"

Liz deu uma risada. "Muitas."

"Liz, eu tenho algo enorme para você. Enorme! Eu represento um garoto de dezoito anos chamado Brian Jones. Ele vive no Bronx. A mãe dele é afro-americana e o pai é branco. A polícia o detêm e o assedia sempre que ele anda pela rua. Ele foi parado várias vezes no mesmo dia. Um oficial tem o assediado constantemente. Eu disse ao Brian para fazer uma gravação se esses incidentes voltassem a acontecer."

"OK, estou ouvindo", respondeu Liz.

"Brian Jones fez exatamente o que eu lhe disse para fazer. Ouça o oficial Barry Green."

Peguei meu celular e toquei a gravação.

"Nossa! Caramba," disse ela, de queixo caído.

"Eu sei."

"Eu pensei que a polícia seria mais cuidadosa depois de todos os processos contra a Lei de Revista."

"Certo. E a coisa fica pior. Você sabe o que o Brian Jones quer ser quando crescer?"

"Ele quer ser advogado?"

"Não! Ele quer ser policial. Está estudando justiça criminal na Faculdade Comunitária do Bronx.

Tem até policiais na família. É uma loucura. Não suporto o que a polícia está fazendo com ele."

"Mesmo depois de tudo isso?"

"Sim. Ele acredita de verdade. Ele quer proteger e servir. Liz, temos uma grande história aqui. Comecei a investigar o passado do oficial Green. Ele foi disciplinado pela polícia em várias ocasiões por uso da força excessiva."

"Brian Jones está disposto a falar?"

"Ele está. Posso arranjar uma hora para vocês conversarem essa noite. Liz, isto é grande. Temos de impedir que ocorram injustiças. Não é crime viver em um bairro assolado pela pobreza. Brian Jones é um ótimo aluno. Caramba, ele é um garoto fantástico. Ele não quer causar problemas à polícia. Vou processar a polícia de Nova York. Também contatei a União Americana pelas Liberdades Civis e eles concordaram em colaborar comigo no caso."

"Me deixe falar com o meu editor. Essa história é ótima. Vou parar o que estou fazendo e me concentrar em escrever algo rapidamente."

"Quando você acha que pode ter a história?"

"Dois dias."

"Você é a melhor. A melhor de Carl Place."

Ela sorriu e disse: "Obrigada por me trazer isso, Ricky. Por favor, me coloque em contato com o seu cliente o mais rápido possível. Me deixe voltar para o escritório. E pode avisar ao conselho da ACLU que vou entrar em contato?"

"Claro", disse eu.

Nos abraçamos e seguimos caminhos diferentes.

"Justiça! Precisamos de justiça", gritei para Liz.

As pessoas na rua me encararam quando comecei a correr para pegar o metrô de volta.

12

Voltei para o meu apartamento e cheguei em casa por volta das 19h. Tinha sido um dia muito longo. Excitante, mas também esgotante emocionalmente, já que eu precisei me preparar para o julgamento e equilibrar vários casos que exigiam uma enorme quantidade de trabalho.

"Olá! Jazmine, cheguei."

"Como foi o seu dia, meu amor? Você parece cansado."

"Foi ótimo. Não posso entrar em muitos detalhes, mas pegamos um oficial em flagrante. Vamos tornar isso público. A história deve sair amanhã. Também vai afetar o meu julgamento, porque o oficial vai depor."

"Oi, William. Como está o meu gato favorito?"

William soltou um miado alto e começou a abanar a cauda. Ele se esfregou nas minhas calças.

"William! Você solta muito pelo. É impossível tirar os pelos das minhas roupas. Tenho que comprar rolos adesivos toda semana."

Me ajoelhei e beijei a barriga de Jazmine, que crescia cada vez mais com o passar dos dias. Estávamos à espera de gêmeos dali a uns meses. William ficou com ciúmes e começou a miar ainda mais alto.

"Tudo bem, William. Vou coçar a sua barriga também. Você sempre precisa ser o centro das atenções, não é?"

O gato se deitou de costas.

"William, você é um tonto, seu gato maluco", exclamou Jazmine.

Jazmine era a minha vida, o meu tudo. Trabalhei muito nos últimos cinco anos construindo o meu escritório de advocacia e queria começar uma família mais do que qualquer coisa.

Jazmine e eu nos conhecemos em um evento de caridade. Ela estava trabalhando como assistente jurídica para uma ONG pequena, aceitando casos de pessoas que haviam sido condenadas injustamente. Ela era apaixonada pelo trabalho e queria entrar na faculdade de direito. Jazmine cresceu em Porto Rico e veio para os Estados Unidos quando tinha vinte e dois anos. Os seus pais morreram em um acidente de carro quando ela tinha apenas dezoito anos. Ela era filha única e não tinha outra família em Porto Rico. Sua tia lhe disse para vir a Nova York, onde Jazmine tinha várias tias, tios e primos. Ela trabalhou duro e se formou com honras na Universidade de Nova York. Ela tiraria um ano para cuidar dos gêmeos e depois iria se inscrever meio período na faculdade de direito.

Jazmine entendia a minha busca por justiça. Ao contrário do meu pai, ela nunca questionou quem eu representava. Meu pai constantemente me dizia para pensar em mudar de carreira e me avisava para tomar cuidado.

"Filho, por que você está representando um bando de traficantes e membros de gangues?"

"Todos merecem defesa, pai. Você é inocente até que se prove o contrário. Não se esqueça disso."

"Mas por que perder tempo sendo advogado de cartel?"

"Já pensou em mudar para direito corporativo? Eu não quero te ver amarrado em algum lugar da autoestrada de Long Island, filho."

"Pai, eu adoro representar pessoas que precisam de ajuda. Estou aqui para ajudar os meus clientes. Realmente, alguns deles fizeram coisas ruins. Mas o meu trabalho não é julgar. Os cirurgiões recusam pacientes com base em eles serem simpáticos ou não? Não! Eu trato todos os meus clientes com respeito e luto para ajudá-los a navegar o nosso sistema criminal injusto."

Quando me inclinei para beijar a barriga de Jazmine, pensei em como ela sempre havia me apoiado no meu trabalho. Ela havia trabalhado em dezenas de casos de indivíduos que serviram décadas na prisão e mais tarde foram provados inocentes. Sempre pensei que éramos um casal perfeito e adorávamos passar todos os minutos juntos. Namoramos durante dois anos e nos casamos em uma pequena cerimônia em Long Island com a nossa família e amigos.

"Nunca fui tão feliz na minha vida. Mal posso esperar para conhecer esses dois carinhas", eu disse à Jazmine.

"Eu te amo, Ricky. Agora, você precisa comer. Parece tão cansado. Estou vendo que foi um dia difícil. Suba e tome um banho e eu vou servir o seu favorito: espaguete com almôndegas."

"Você é a melhor. Casei com a mulher certa. Te amo demais. Estou prestes a ser pai, sou o meu próprio chefe e adoro o meu trabalho. Estou incrivelmente feliz", disse eu, alegre.

13

"MERITÍSSIMO, A DEFESA GOSTARIA DE CHAMAR O oficial Barry Green para depor."

Barry Green tinha um maxilar definido e era musculoso. Com um metro e oitenta, ele parecia um jogador de futebol profissional. Green odiava advogados de defesa criminal e disse aos outros polícias que precisava ir ao tribunal para responder a perguntas de um idiota.

O oficial teria uma surpresa desagradável, pois a história do *New York Times* havia acabado de ser publicada há uma hora. Além disso, Oscar Cruz encontrou a fita aos quarenta e cinco do segundo tempo.

"Oficial Green, o senhor realizou a prisão, correto?"

"Sim."

"Pode explicar o que aconteceu na noite em que a sua equipe invadiu a casa do Sr. Cruz?"

"Entramos na casa às 3h e encontramos drogas no apartamento do Sr. Cruz."

"Como o senhor entrou e quantas pessoas estavam sob o seu comando nessa operação?"

"À força. Liderei uma equipe de oito oficiais."

"Por que às 3h?"

"Gostamos de surpreender o suspeito."

"O Sr. Cruz pediu para ver o seu mandado, correto?"

"Não me lembro disso."

"Tem certeza? Precisa de um minuto?"

"Não, ele não pediu para ver o meu mandado."

"O senhor deu um soco no Sr. Cruz?"

"De jeito nenhum."

Me aproximei do júri e disse: "Senhoras e senhores do júri, eu quero que notem com muita atenção que o oficial Barry Green declarou sob juramento que entrou na casa de Oscar e que o meu cliente não pediu para ver um mandado. Também quero que notem que o oficial Green disse que não bateu no Sr. Cruz."

Fui até à mesa da defesa e tirei uma fita.

"Meritíssimo, gostaríamos de registrar essa gravação como prova. Ela vai mostrar que o Sr. Cruz pediu sim por um mandado de busca. Também vai mostrar que o oficial Green agrediu fisicamente o Sr. Cruz."

O promotor adjunto se levantou e gritou: "Protesto, Meritíssimo. Eu não vi essa fita. A defesa teve três semanas para se preparar para o julgamento. Por que ele está a apresentando agora?"

"Meritíssimo, esse vídeo é da câmera de segurança do meu cliente. O Sr. Cruz precisou recuperar a fita do sistema de segurança. Trouxemos um perito, o Sr. Jason Betts, que confirmou a autenticidade da fita. Eu o adicionei à lista de testemunhas como consultor de segurança há mais de três semanas. Pode ver isso nos documentos do julgamento. Gostaria de mostrar a fita ao júri."

"Excelência. Podemos fazer um intervalo para que eu veja a fita?"

"Sim, Sr. Promotor Adjunto. Três horas são suficientes, ou o senhor prefere voltar amanhã?

"Três horas devem ser suficientes", disse o promotor.

O promotor era um novato, recém-saído da faculdade de direito e era óbvio. Ele deveria ter aproveitado o dia para rever a fita e assim ter poupado o embaraço do oficial Green e da polícia de Nova York.

"Membros do júri, regressaremos dentro de três horas. Vou permitir que a fita seja apresentada como prova e o Sr. Betts pode testemunhar, se necessário, " instruiu o juiz.

Voltei para a mesa da defesa e sussurrei para Oscar, "Eles não fazem ideia do que os atingiu."

O júri voltou ao tribunal após o intervalo de três horas.

"Fiquem de pé. Está aberta a sessão. Preside o Honorável Jim Rose", disse o oficial de justiça.

"Por favor, sentem-se", disse o juiz Rose. "Conselheiros, estão prontos para prosseguir?"

"Sim, Meritíssimo", disse o promotor assistente, com um olhar nervoso. Ele sabia que o seu caso estava em apuros. Um promotor mais experiente teria tentado encerrar o caso, a fim de evitar o que estava prestes a acontecer. No entanto, esse jovem queria dar ao oficial Green uma chance de se explicar e esclarecer o seu "lapso de memória." Esse era um erro grave que iria assombrar esse jovem promotor por anos.

"Sim, Meritíssimo", eu respondi.

"Sr. Gold, o senhor está com a palavra."

O agente Green começou a transpirar na bancada do júri. Ele sabia que estava em apuros, mas não queria mostrar quaisquer sinais de fraqueza.

"Senhoras e senhores do júri, vou agora lhes mostrar essa fita, que foi revista pelo Sr. Jason Betts, consultor de segurança, e que trabalhou em mais de duzentos casos em tribunais criminais. O Sr. Betts foi certificado pelo tribunal como um especialista", disse eu.

Jason Betts era um ex-analista de inteligência que se tornou consultor de segurança. Ele havia sido usado por promotores e advogados de defesa em muitos casos envolvendo a autenticidade de imagens em vídeo. Ele cobrava mil dólares por hora, mas valia cada centavo, porque tinha uma longa e distinta carreira como especialista em cibersegurança. Betts tinha a habilidade de explicar as coisas para que um júri pudesse entender. Ele era o melhor do mercado.

"Ficou claro que o oficial Green não mostrou o mandado ao Sr. Cruz. Sabem por quê? Ele não tinha um."

"Protesto", disse o promotor.

"Anulado."

"O vídeo também mostra o oficial Green atirando no cachorro do Sr. Cruz e abusando fisicamente do réu. O Sr. Betts está no tribunal e disponível para testemunhar, se necessário."

Dei play no vídeo e ele mostrou o oficial Green entrando na casa de Oscar. Um cachorro começou a latir e o oficial Green sacou da arma e disparou.

"Oficial Green, por que atirou no cachorro? Os protocolos da polícia dizem que se deve atirar em todos os cachorros que latem? Gostaria que alguém atirasse no seu cachorro?"

"Protesto", gritou o promotor.

“Sustentado. Por favor, reformule a sua pergunta Sr. Gold.”

"Sim, Excelência. Vou reformular a minha pergunta. Oficial Green, as suas ações obedeceram aos protocolos da polícia quando atirou nesse cachorro?”

"Eu senti que o cachorro poderia ser um risco para minha equipe e nossa segurança", ele respondeu com raiva.

"Sério? Um risco? Por que ele latiu quando a polícia de Nova York entrou na casa às 3h com as armas carregadas? É um golden retriever. Eles são conhecidos como cães de guarda perigosos?”

"No calor do momento você toma a decisão que acredita ser a mais apropriada. Vi o cão como um risco potencial para a minha equipe quando ele latiu e começou a rosnar para mim. Você não entenderia o meu trabalho.”’

"Meritíssimo, a testemunha está sendo hostil.”

"Oficial, por favor responda às perguntas", instruiu o juiz.

"Vamos continuar com o vídeo. Senhoras e senhores jurados, o que estão prestes a ver mostrará não só a brutalidade policial, mas também a incapacidade de seguir os protocolos adequados. Trata-se de uma clara violação da Quarta Emenda.”

O vídeo mostrou Oscar Cruz sendo retirado do

quarto. Sua namorada estava gritando e chorando para que ele não fosse machucado, enquanto segurava o filho do casal nos braços.

O júri arquejou quando o vídeo revelou Oscar Cruz gritando para ver o mandado.

"O que você está fazendo? Eu não fiz nada de errado. Quero ver o seu mandado. Eu conheço os meus direitos", disse Oscar em alto e bom som no vídeo que estava sendo mostrado ao júri.

O vídeo mostrou o oficial Green insultando verbalmente o Sr. Cruz.

"Quero ver o seu mandado. Eu quero ver."

O vídeo mostrou claramente o oficial Green esmurrando e dando pontapés no Sr. Cruz, enquanto a sua equipe revistava a casa.

"Oficial Green, não fazia ideia de que a câmara escondida estava filmando, não é mesmo? O Sr. Cruz foi assediado pela polícia em várias ocasiões e instalou um sistema de segurança de última geração", proclamei.

"Porque ele é um traficante de drogas e um líder de gangue."

"Excelência."

"Oficial Green, o senhor já foi avisado. Apenas responda as perguntas," repreendeu o juiz.

"Oficial Green, quero ser muito claro e lhe dar a oportunidade de responder à minha pergunta novamente. O senhor disse há poucas horas, sob juramento, que não feriu fisicamente o Sr. Cruz. Repito, que não feriu fisicamente o Sr. Cruz. Além disso, o senhor disse que ele não pediu para ver o mandado. Correto?"

O oficial Green percebeu que havia mentido sob juramento e começou a recuar. Ele declarou, "Eu não me lembro dele pedindo um mandado. Estava barulhento e estávamos no meio de uma operação com um suspeito que é um conhecido líder de gangue. Estávamos focados em revistar a casa e procurar por drogas. O Sr. Cruz não é estranho à aplicação da lei e a minha prioridade era a segurança da minha equipe."

"Oficial Green, o vídeo é claro. O senhor ouviu o áudio, certo? Quer que eu repita para o senhor? O senhor sabe que é crime cometer perjúrio no tribunal."

"Você protege canalhas. Eu, por outro lado, tento tirá-los das ruas e limpar essa fossa de cidade. Somos uma unidade de elite que está eliminando a MS-13 e outras gangues de rua que operam em toda a cidade de Nova York. Não temos tempo para esperar que a burocracia funcione. Você deveria me agradecer por manter os nova-iorquinos seguros. Você sabe que encontramos cocaína e maconha na casa do seu cliente traficante, certo?"

"Oficial Green, acabou de mentir sob juramento. Meritíssimo, proponho encerrar este caso, levando em conta os acontecimentos que ocorreram hoje no tribunal."

As veias no pescoço do oficial Green começaram a inchar. Ele saltou do banco e se atirou contra mim. Ele gritou, "Você não sabe o que é preciso para ser um homem de verdade. Você se esconde atrás do seu terno e do seu diploma de direito. Venha fazer o meu trabalho por um dia, seu advogado de merda. Precisamos quebrar alguns ovos pra fazer uma omelete."

"Oficiais de justiça prendam este homem", gritou o juiz. "Ordem no tribunal. Ordem no tribunal. Retirem o júri."

Os oficiais de justiça imobilizaram Green e o deitaram no chão. Foram precisos três deles para algemá-lo e escoltá-lo para fora do tribunal.

"Ordem no tribunal. Sr. Promotor Adjunto..."

Antes que o juiz pudesse terminar sua frase, o jovem promotor, quase paralisado de surpresa, disse: "Vamos retirar todas as acusações e gostaria de pedir desculpas ao Sr. Cruz."

Dei uma palmadinha nas costas de Oscar. Então me inclinei e sussurrei um versículo bíblico: "*Si tuvieras fe como un granito de mostaza*"[1]. Oscar sorriu e baixou a cabeça. Ele não conseguia acreditar que o promotor iria retirar as acusações.

---

1. NT. Se tiveres fé do tamanho de um grão de mostarda

14

O OFICIAL BARRY GREEN TEVE UM DIA DIFÍCIL, SE tornando manchete internacional de duas notícias ao mesmo tempo. O *New York Times* publicou a história sobre a Lei de Revista e violência policial. A história de Liz Martinez se tornou uma das mais importantes do país. O promotor estava tão esgotado se preparando para o tribunal e revendo o vídeo que deixou passar a história sobre o oficial.

Todos os noticiários publicaram a história do ataque do oficial Green no tribunal. Ele não só cometeu perjúrio, como tentou atacar o advogado de defesa criminal do caso. A polícia de Nova York declarou que estavam investigando ambos os casos envolvendo Green. Ele havia sido colocado em licença não-remunerada enquanto permanecia em custódia na cadeira municipal. A polícia não teria outra opção senão demiti-lo.

Mandei uma mensagem para Liz: "Ótima história. Você fez um trabalho incrível."

"Obrigada, Ricky."

Nunca temi retaliações na minha busca por justiça, mas em breve aprenderia como os policiais cuidam dos seus. Voltei ao escritório e esperei pelas dezenas de telefonemas dos jornalistas.

"Ricky, você está bem? Parabéns pela vitória."

"Estou bem. Sinto que realmente ganhamos e que demonstramos a importância de seguir a lei. Há muitas lições para a polícia nesse caso."

"Ricky, você tem vinte e seis mensagens para entrevistas."

"Nossa! De quem? Noticiários locais? Quais os principais canais?"

"The *New York Times*, Wall Street Journal e *Washington Post*."

"Bom. Vamos nos concentrar nos grandes. Não posso passar o dia todo nisso, preciso estar no tribunal amanhã para uma audiência. Mike Brooks teve a fiança negada e precisamos entrar com uma apelação. Também tenho uma audiência de fiança com o Sr. Kirk."

Passei a tarde conversando com jornalistas e me preparando para os meus próximos casos.

"Maria, estou esgotado. Vou para casa mais cedo."

"Está bem. Você merece. Por favor, tenha cuidado. Me avise se precisar de alguma coisa."

Algo ótimo sobre ser o meu próprio chefe era que eu não precisava de permissão para sair do trabalho. Eram 17h e eu queria ir para casa relaxar e ver como estava a minha esposa grávida. Ela daria à luz dali a alguns meses. Saí do meu escritório, desci a rua até o meu apartamento e me lembrei das minhas conversas com vários antigos colegas de direito, que trabalhavam em grandes empresas. Mark, um dos melhores alunos do curso de direito do Brooklyn, me disse uma vez, depois de algumas cervejas, que ele nunca podia sair antes do seu chefe.

"Ricky, você é esperto por trabalhar sozinho."

"É verdade. Por quê?"

"Quer dizer, é claro que existe o stress de encontrar clientes, mas a verdade é que eu trocaria de lugar com você a qualquer momento. A grana no direito empresarial é ótima, mas as horas são brutais."

"Quantas horas você está trabalhando? Pode tirar um dia de folga para recarregar as baterias?"

"Ricky, estou há cinco anos fora da faculdade de direito e não posso sair antes do meu chefe, Sr. Ross. Sabe qual é o problema nisso?"

"É desmoralizante? Você é um profissional, não uma criança", eu respondi.

"Absolutamente. O problema é que o meu chefe não tem vida e nunca sai antes das 22h30min."

"Mentira! Isso é uma loucura."

"Sério."

"Ele é casado? Tem filhos?"

"Sim! Ele diz que fica até tarde no trabalho para evitar a mulher e os filhos. Eles o deixam louco. Isso não é absurdo? É muito triste, na verdade."

"Querida! Cheguei", eu disse quando abri a porta do nosso apartamento.

"Oi, meu *superstar*. Você está bem? Fiquei tão preocupada com você", disse Jazmine.

"Estou bem. Desculpe por não ter ligado. Fiquei atolado com jornalistas. Acho que fizemos história hoje. Temos lutado por justiça por muito tempo. Chegamos tão longe."

Naquele momento William, o gato, correu para dentro da sala como se estivesse em sua última volta nas Olimpíadas.

"William! O que há com você? Seu tonto. William, você está pronto para ser um irmão mais velho? A mamãe precisa da sua ajuda."

William soltou um miado alto.

"Estou tão animado. Mal posso esperar para conhecer esses carinhas crescendo dentro de você."

"Eu te amo tanto, Ricky. Você é tudo para mim. O

meu advogado de defesa famoso, que faz tanto para ajudar pessoas necessitadas. Tudo o que preciso é você."

"Preciso tomar um banho. Passei o dia suando como um louco. O verão em Nova York é de matar."

Fiquei embaixo do chuveiro, deixando a água correr pela minha cabeça. Era tão bom relaxar. Enquanto eu prosperava no tribunal, às vezes chegava em casa exausto e surpreso com quanta energia era necessária para fazer um show na frente do júri. Eu me sentia até um pouco tonto às vezes, já que bebia muito café e me esquecia de diminuir o ritmo.

Hoje foi um grande dia, pensei eu. Mal sabia que a minha vida iria mudar para sempre em menos de vinte e quatro horas.

15

William me acordou andando sobre a minha cabeça. Ele era um gato muito persistente e nada se metia no caminho do seu estômago.

"William! Você está me deixando louco. Me deixe dormir mais uns minutos. São só 5h."

William bateu com a cabeça na minha perna como se estivesse tentando me tirar da cama. Ele se mexeu e começou a lamber o meu rosto.

"Ok! Estou acordado. Você venceu, seu idiota."

Jazmine estava dormindo e roncando como um motor.

"William! Por favor, não acorde a Jazmine. Ela precisa dormir. Você vai ser um irmão mais velho muito em breve."

William soltou um miado alto.

"Estou acordada. Obrigada, William", disse Jazmine.

Coloquei comida para William e comecei a me vestir. Esperava que hoje fosse muito mais normal do que ontem. Não é todos os dias que um policial tenta arrancar a sua cabeça no tribunal depois de mentir sob juramento.

"Amo você Jazmine e meus futuros bebês", disse eu.

"Tenha cuidado, querido."

"Volto às 18h ou 18h30min, no mais tardar."

Desci a rua e entrei no metrô.

Espero que hoje seja um dia fácil. Preciso que as coisas corram bem, pensei eu.

Quando saí da estação do metrô, senti vontade de tomar um café. Antes da faculdade de direito, eu nunca bebia café. O stress e as longas horas, com o passar dos anos, me levaram a beber cada vez mais. Entrei em um dos meus cafés favoritos.

"Ei! Como vão? O de sempre, um café americano."

"É para já, senhor."

Peguei meu café e me dirigi ao tribunal. Estava perdido nos meus pensamentos e me preparando para os meus próximos passos. Sempre fui um planejador e muitas vezes percorria meus argumentos legais na cabeça enquanto estava no metrô ou caminhando para o tribunal. Hoje não foi diferente.

Quando me aproximei do tribunal, um homem esbarrou em mim, me fazendo entornar todo o meu café e, ao mesmo tempo, despejando o seu café quente em cima de mim. O homem deixou cair um monte de papéis e eu larguei a minha pasta, cheio de dor.

"Ai", gritei. "Veja por onde anda. Você acabou de derramar seu café quente em cima de mim."

"Desculpe, senhor."

"Tudo bem. Acidentes acontecem. Mas por favor, tenha cuidado. Pode causar queimaduras graves em alguém."

Dois outros homens se aproximaram para perguntar se estávamos bem e ajudar a reunir as dezenas de documentos espalhados pelo chão.

"Vocês estão bem? Me deixem ajudar", disse um dos homens.

"Muito obrigada. Estamos bem."

O que eu não percebi foi que um dos indivíduos que se abaixou para ajudar de repente colocou um pacote de cocaína no meu casaco. O homem era muito hábil e havia sido pago para plantar as drogas, a fim de prejudicar a minha reputação. Na noite anterior, os parceiros do oficial Green criaram um plano para se vingarem de mim por ter arruinado a sua carreira.

"Ouça, precisamos pegar aquele advogado das drogas, Ricky Gold. Ele arruinou a carreira do nosso irmão defendendo um traficante de drogas", disse o oficial Tim, que trabalhava com Green há mais de seis anos. A Muralha Azul se referia à irmandade impenetrável entre os policiais.

"O que você quer que a gente faça? Precisamos fazer alguma coisa", respondeu o oficial James, que fazia parte da polícia de Nova York há dez anos.

"A Muralha Azul, cara. Precisamos proteger os nossos."

"Tem razão, Tim. Mas o que podemos fazer? Os olhos estão todos voltados para a polícia. Temos que ser discretos."

"Eu conheço um cara."

"Lá vamos nós", interrompeu o oficial James.

"Cala a boca. Não se esqueça de quando eu e o Barry Green te encobrimos quando você dirigiu bêbado. Salvamos a sua carreira."

"Tem razão. Eu sei. Te devo uma e ao companheiro Barry também."

"Pode crer. Conheço um cara que é especialista em armadilhas. Usamos ele uma vez em um caso em que não conseguíamos apanhar o 'Tim Grandão', o traficante de drogas do Bronx. Se lembra daquele caso? Esse cara nos ajudou a plantar drogas e o velho Tim Grandão está cumprindo prisão perpétua na prisão estadual."

"Está bem! Como funciona?"

"Verifiquei os arquivos e o Ricky Gold tem um caso amanhã no tribunal. Amanhã, alguém vai embarrar nele com café quente. Outros dois caras, que estarão vigiando, irão ajudar. O primeiro cara vai derrubar os papéis dele e manter o Ricky preocupado."

"E os outros caras?"

"Os outros caras vão se aproximar para ajudar e um deles, o Ronny, vai colocar cocaína no casaco do Ricky."

"Isso é muito perigoso. Não sabemos o que ele vai vestir."

"Não seja estúpido. Advogados sempre usam ternos. Eles não podem se aproximar do tribunal sem um terno. Você já viu o Ricky no tribunal? Alguma vez o viu sem o terno preto?"

"Acho que você tem razão."

"Os seguranças vão notar as drogas quando ele passar pela inspeção. O tribunal tem estado à procura de armas desde que houve dois casos nas últimas três semanas com pessoas carregando pistolas."

"Espera um segundo. E as câmeras? Há câmaras em cada esquina."

"Eu verifiquei o lugar. Vamos encontrá-lo em um ponto cego."

"E se formos apanhados?"

"Vamos para a prisão. Relaxa, não vamos ser apanhados. Eu prometo."

"Eu e o Barry Green te protegemos e não te prendemos quando você dirigiu bêbado. Dissemos ao outro policial para recuar. Temos que proteger os nossos. Os policiais permanecem unidos."

"E quanto isso vai nos custar?"

"Três mil. Eu pago dois mil e você me dá os outros mil."

"Como sabemos que esses caras não vão estragar tudo? Isso é muito arriscado."

"Eles são profissionais. Esses caras ganham a vida fazendo esse tipo de coisa. Como eu disse, já os usamos antes."

O plano dos oficiais funcionou perfeitamente para eles, pois não senti o homem colocando a cocaína no bolso do meu terno. A pessoa que derramou o café continuava pedindo desculpas.

"Está tudo bem. Só tenha cuidado. Tenho que correr para o tribunal", disse eu.

Desci o quarteirão até chegar à entrada do edifício.

"Oi, chefe. Como está a equipe de segurança mais trabalhadora de toda a Nova York?"

"Ricky, meu garoto. Que dia maluco para você ontem no tribunal. Estamos aumentando a segurança por sua causa, rapaz."

"Ricky Gold! Você é um cara mau", disse o outro oficial de segurança.

"Ah. Só estou tentando fazer o meu trabalho."

Coloquei os meus pertences na esteira e passei pelo detector de metais.

"Ah, droga! Deve ser o meu cinto. Esqueci de tirar."

"Não se preocupe, podemos usar o detector manual."

O oficial de segurança passou o detector, que começou a disparar.

"Me deixa dar uma revistada."

"Sem problema."

O agente sentiu uma protuberância no meu bolso e tirou um pacote de cocaína.

"O que é isso, Ricky?"

"Oficial, isso não é meu. Eu juro."

"Qual é, Ricky. Não podemos deixar isso passar. Quem traz cocaína para um tribunal?"

Naquele momento, o segurança chamou o policial de plantão.

O oficial se aproximou.

"Vamos aqui para o lado conversar."

"Agente, isso não é meu."

"Sr. Gold, não tenho escolha a não ser lhe prender. Isso é uma acusação de posse de drogas."

"Oficial! Isso deve ser uma armadilha. Eu prometo. Dois caras esbarraram em mim lá fora. Podemos ver as câmeras de segurança?"

"Venha comigo, Ricky."

As pessoas no tribunal me encaram enquanto o policial me escoltava para fora do edifício em direção à prisão local.

16

"Sr. Gold, gostaria de usar o telefone para ligar para o seu advogado?"

"Sim, oficial. Muito obrigado."

Liguei para o meu amigo Saul Greenberg. Estudamos juntos na faculdade de direito, e ele agora trabalhava como advogado de defesa criminal no Queens.

"Saul! Fui preso por posse de cocaína. Preciso da sua ajuda."

"O quê? Quanto é a fiança?"

"Cinquenta mil dólares. Contatei o fiador que costumo usar. Devo sair em uma questão de horas."

"Estarei aqui."

Pus a cabeça entre as mãos enquanto se sentava na "cela dos bêbados". A prisão estava superlotada e com pouco pessoal. Demorou horas para processar os presos. A cela tinha quarenta pessoas. Tentei não olhar para ninguém.

Dois homens grandes, que deviam pesar cento e vinte quilos cada um, se aproximaram de mim.

“Ei, garoto! Gostei dos seus sapatos. Você é tamanho quarenta e dois? Porque eu sou tamanho quarenta e dois.”

"Gostei do terno, cara. Ele não vai servir em mim, mas vai ficar muito bem aqui no meu amigo.”

Outro homem se aproximou de mim.

"Não quero problemas. O que você quer?”

"A gente já disse, cara. Gostei dos seus sapatos. E o meu amigo aqui gostou do seu terno.”

"Senhores, eu sou advogado. Deve haver outra maneira de ajudar vocês.”

"Estou aqui por homicídio triplo, cara. Preciso de muita ajuda. Estou esperando ser transferido para outra prisão.”

"Você tem um advogado?”

"Eu tenho. O que eu não tenho é um belo par de sapatos. E o meu amigo aqui não tem esse seu terno bonito.”

Os homens se aproximaram e começaram a me empurrar.

"Você pode passar tudo e não quebramos a sua cara, ou você pode resistir e quebramos o seu pescoço, filho.”

Tirei os sapatos e entreguei o meu terno.

"As calças também."

"Qual é, cara. Por favor. Não te vou dar as minhas calças."

"Tem razão. Você foi legal com a gente."

Os homens começaram a se afastar. Um deles então se virou e disse:

"Mudei de ideia."

Ele levantou o punho e me deu um soco direto no olho.

"Guarda! Guarda!" Gritei.

Os guardas, que eram mal pagos e sobrecarregados, não conseguiam ouvir nada. Outro preso esmurrou o homem segurando o terno e a cela entrou em caos por cerca de dez minutos.

Os guardas finalmente ouviram o tumulto e os separaram.

"Preso, devolva as roupas dele. Você vai para o buraco", disse o oficial. O buraco é o apelido para a solitária, que é usado para presos que são problemáticos ou para casos de alto perfil.

"Sr. Gold, aqui estão os seus sapatos e o seu terno elegante. Me desculpe. A boa notícia é que a sua fiança foi paga. Além disso, o seu advogado está aqui."

"Saul! Muito obrigado por ter vindo. Estou muito feliz por te ver."

"Não se preocupe, cara. Vou aceitar o seu caso de

graça. É para isso que servem os amigos."

"Eu posso pagar. Eu insisto," respondi.

"Não, senhor. Você não vai pagar um centavo."

Comecei a chorar porque significava muito para mim que o Saul me ajudaria em um momento de necessidade.

"Vamos para o meu escritório. Você pode ligar para a sua esposa no carro."

"Minha esposa. O que eu vou dizer? Este é o pior dia da minha vida", disse eu, enquanto começava a chorar incontrolavelmente.

"Eu sei, cara. Vamos resolver isso."

"Saul, eu juro pela vida dos meus pais que nunca trouxe drogas para o tribunal. Eu nunca usei drogas. A minha mulher vai dar à luz em menos de dois meses. Vamos ter gêmeos."

"Eu não sabia. Parabéns. Vamos resolver isso juntos, irmão. Estou aqui para ajudar."

"Você é o melhor, Saul!"

Liguei para a minha esposa no carro. "Querida! Te amo demais. Fui preso no tribunal por posse de cocaína. Não era minha. Isso deve ter sido uma armadilha pelo que aconteceu ontem. Eu te amo. Vamos chegar ao fundo disso."

"Ricky! Você está bem? Eu sei. Eu te amo. Confio em você. Você está seguro? Te ficharam na prisão?"

"Sim, meu amor. Se lembra do meu amigo Saul?"

"O advogado do Queens?"

"Sim. Ele vai me ajudar. Estou indo para o escritório dele agora. Ele foi me buscar na prisão e estamos discutindo como resolver isso. Vai correr tudo bem."

17

"MERITÍSSIMO, CHEGAMOS A UM ACORDO COM O promotor adjunto."

"Sr. Promotor, quais são os termos do acordo?"

"Reduzimos a acusação à posse para uso pessoal. O Sr. Gold vai cumprir trinta dias de prisão. Ele terá de cumprir cem horas de serviço comunitário e completar um curso de tratamento contra drogas."

Eu não estava feliz com esse acordo. Saul havia verificado todas as câmeras de segurança do edifício. Ele estava convencido de que se tratava de uma armadilha, mas não conseguimos encontrar a prova. Ele me conhecia há anos. Sabia que eu nunca havia usado drogas na faculdade e passava o tempo todo trabalhando ou estudando. Me desliguei do tribunal e pensei na minha conversa com Saul e como implorei para que ele me ajudasse a evitar a prisão.

"Ricky, eu sei que isso é um acordo ruim. Mas não podemos provar a armadilha. Convenci o promotor a reduzir as acusações, o que é uma grande vitória para nós. Como você sabe, uma acusação de crime levaria automaticamente à sua expulsão da ordem."

"Eu sei, cara. Eu simplesmente não acredito. Não posso aceitar me declarar culpado por algo que eu não fiz."

"Eu sei, Ricky, eu sei. Você pode ir preso por anos pelo crime. O promotor está disposto a fazer um acordo, mas ele disse que você precisa cumprir pena de prisão. Ele me disse que está sofrendo pressão da polícia para perseguir a pena máxima depois do que aconteceu com o agente Green."

"Tenho certeza de que a polícia plantou as drogas. Quem mais faria isso comigo? Sei do que eles devem ter me chamado. De tudo, desde advogado de cartel a advogado de drogas. Eles querem se vingar de mim pelo que aconteceu com o Green."

"Eu sei, Ricky. Acho que até o promotor sabe. Mas esses caras são policiais. Eles sabiam onde fazer tudo. Aconteceu em um ponto cego. Procuramos o cara que derramou o café em você. Ele não está em lugar nenhum."

"É difícil acreditar que nem uma única pessoa que estava andando em uma rua movimentada na frente do tribunal vai se apresentar. Deve ser a polícia. Eles mandaram esse palhaço esbarrar em mim em um ponto cego. Esses caras são profissionais. Não são novatos."

"Eu te entendo, irmão. Mas você sabe que não podemos acusar a polícia sem provas. Você já está na lista negra da polícia depois do que aconteceu."

"Sr. Gold", disse o juiz.

Voltei ao presente.

"Sim, Excelência."

"Compreende os termos do acordo?"

"Sim, Meritíssimo."

"Aceitamos o seu acordo e o sentenciamos a trinta dias na prisão municipal."

Nunca vou esquecer de olhar para trás e ver Jazmine começando a chorar. Ela sempre me apoiou, incluindo hoje. *Esse é o pior dia da minha vida,* pensei.

"Oficial de justiça, por favor leve o Sr. Gold embora", instruiu o juiz.

Tudo o que eu conseguia ouvir eram as câmeras clicando. Parecia que os fotógrafos haviam tirado mil fotos enquanto o oficial de justiça me levava para a prisão.

Uma lágrima rolou pela minha bochecha. Eu sabia que não tinha feito nada de errado. Não pensei que a polícia viria atrás de um advogado. Eu só estava fazendo o meu trabalho. Estava lutando pelo cidadão comum e tentando combater a corrupção. Talvez eu devesse ter sido um advogado corporativo, como o meu pai me disse.

"Acabou."

"Desculpe? Eu não ouvi o que você disse," respondeu o oficial de justiça.

"A minha vida acabou. Acabou", respondi eu.

18

Enquanto me sentava na cadeia do município por um mês e pensava sobre como minha vida seria uma batalha difícil dali por diante, outra batalha estava acontecendo a milhares de quilômetros, nas ruas do México. O governo mexicano lançou uma guerra total contra o narcotráfico e o crime organizado. Em 2006, o presidente do México começou a guerra do governo contra as drogas. Ele procurou aumentar a segurança e combater o número crescente de organizações criminosas que operavam no país. O presidente Felipe Pastrana enviou os militares para as ruas, para combater os grupos do crime organizado, já que não confiava muito na polícia.

A administração Pastrana procurou capturar os chefões das drogas das principais organizações criminosas. O argumento era que derrubar os líderes das principais organizações do narcotráfico levaria ao desaparecimento de vários grupos criminosos. A captura dos líderes não só levou a lutas internas dentro de organizações criminosas, mas também entre cartéis pelo controle das rotas de tráfico.

Essa estratégia e a militarização da guerra contra as drogas no México tiveram consequências não planejadas. O México testemunhou o aumento da violência sob a administração de Felipe Pastrana quando mais de cem mil pessoas morreram vítimas da violência relacionada às drogas. A violência aumentou à medida que a organização do tráfico de drogas lutava contra o governo.

Alguns dos meus clientes do México me disseram que Manuel Uribe López sucedeu ao Presidente Pastrana e jurou mudar as estratégias da guerra contra as drogas. Apesar das mudanças em retórica, o presidente Uribe López mobilizou as forças armadas e se concentrou na captura dos chefes do tráfico. Isso resultou no aumento do número de grupos do crime organizado. Em 2012, o procurador-geral do México indicou que havia oito organizações criminosas. No entanto, outros estudiosos e analistas políticos argumentam que o número de organizações criminosas aumentou para várias centenas. O presidente Uribe López terminou a sua administração com mais de cento e cinquenta mil mortes relacionadas com o tráfico.

O cenário do crime continuou a mudar. Alguns criminosos foram mortos, ou capturados, enquanto outros grupos prosperaram. O cartel de Sinaloa opera em dezenas de países e é um dos cartéis de drogas mais poderosos do mundo.

O cartel tinha vários soldados que ajudaram a organização a alcançar os seus objetivos. Uma das estrelas era Gabriel "Gordo" Osorio, também conhecido como Harvard, que subiu de escalão no cartel de Sinaloa. Gordo mais tarde se tornou um dos principais líderes da Segunda Geração Unida de Sinaloa, uma organização que surgiu como resultado da fragmentação entre o cartel de Sinaloa, que era liderado por Joaquín Cabrera.

O apelido de Gabriel "Gordo" Osorio vinha desde a infância, pois ele havia sido um bebê gordinho. No entanto, aos vinte e cinco, pesava setenta e dois quilos, o que levava muitas pessoas a questionar o seu apelido. Ele cresceu em Oaxaca, um dos estados mais pobres do México. O estado de Oaxaca tem dezenas de línguas indígenas, assim como uma rica história cultural. No entanto, tem enfrentado muitos desafios em termos de acesso a recursos, corrupção e pobreza. O povo de Oaxaca muitas vezes afirma que o governo federal esquece que o local existe. Os pais de Gordo viviam em uma comunidade rural e trabalhavam na agricultura. Seus pais o enviaram para completar o ensino médio com sua tia na Cidade do México, depois que os professores em Oaxaca entraram em greve por seis meses.

"Trabalhamos muito para lhe dar a oportunidade de estudar. Nos deixe orgulhosos, filho."

"Eu sei, pai. Vou trabalhar duro e te deixar orgulhoso."

"Trabalho duro e honestidade vão te ajudar a progredir na vida. Nunca se esqueça do que eu e a sua mãe te ensinamos. Viemos de origens humildes, mas lutamos todos os dias para lhe proporcionar oportunidades."

"Eu sei, papa. Eu sei."

"Nos deixe orgulhosos. Você se lembra quais foram os dois presidentes mexicanos que também vieram do grande estado de Oaxaca?"

“Claro. Eles só comentam sobre isso a cada dez minutos na escola."

"Me diga mesmo assim. Quem são eles?"

"Benito Juárez e Porfirio Díaz."

"Não se esqueça. Você vai nos deixar orgulhosos e pode ser a outra pessoa importante de Oaxaca. Não se esqueça das suas raízes. Filho, por favor, não se perca na cidade grande. A Cidade do México tem milhões de pessoas e é muito diferente de Oaxaca. Continue no caminho certo. Não se desvie."

"Não vou, pai. Eu te amo. Vou deixar você e a mamãe orgulhosos."

Gordo fez a mala e viajou doze horas de ônibus pelas estradas longas e sinuosas através das montanhas de Oaxaca. Gordo vivia com a tia na Cidade do México. Ela era mãe solteira e tinha três empregos para colocar comida na mesa. Ele dividia um quarto com seu primo Luís e ajudava a tia a limpar casas nos fins de semana por um dinheiro extra.

Gordo sentia falta da vida perto dos pais, mas ele teve a oportunidade maravilhosa de estudar em uma excelente escola bilíngue que lhe concedeu uma bolsa de estudos completa. Ele se destacou no inglês e prosperou no seu novo ambiente. No entanto, ele frequentemente achava a Cidade do México estressante. Às vezes, demorava uma hora e meia para chegar à escola, se o trânsito fosse intenso, mesmo estando há apenas alguns quilômetros da casa da tia.

Gordo estudou direito na Cidade do México, na Universidade Nacional Autônoma, que é a instituição pública mais prestigiada do país. Muitos dos seus colegas de classe eram *chilangos* (pessoas da Cidade do México) e falavam com um forte sotaque *chilango*.

O seu pai sempre lhe dizia: "Estamos tão orgulhosos de você, filho. O nosso advogado. Você vai ser o primeiro Osorio a ter um diploma universitário.

Mal posso esperar para chamar você de *licenciado*[1] Osorio."

"Obrigado, papa. Estou estudando muito para te deixar orgulhoso. Sinto muito a sua falta e da mamãe."

Gordo tinha uma média de nove e meio, mas nunca terminou o curso depois que seus pais morreram em um acidente de carro durante seu último ano de faculdade. Ele entrou em depressão, começou a usar drogas e não conseguiu encontrar energia para voltar à faculdade.

"Você precisa se formar. Isso é o que seus pais gostariam que você fizesse", disse a tia de Gordo.

"Eu sei *tía*. Eu sei. Só não tenho a energia."

"Bom, você não pode ficar aqui o dia todo. Tenho dois empregos só para pagar as contas."

Gordo procurou trabalho na Cidade do México, mas, como resultado da sua depressão, ele tinha dificuldade em se manter no emprego. Seu melhor amigo, Javier Flores, convenceu Gordo a trabalhar com ele em Sinaloa. Javier nasceu no Texas, mas cresceu em Sinaloa. Ele foi cursou o ensino médio na Califórnia e voltou para a Cidade do México para ingressar na faculdade, depois de ter alguns problemas legais nos Estados Unidos. Estudou finanças durante dois anos em uma escola de elite privada em Sinaloa, mas se envolveu no submundo do crime e nunca terminou o curso. Seu inglês e espanhol perfeitos e conhecimento do México e dos Estados Unidos serviram como um grande trunfo para o cartel. Eles o chamavam de "El Gringo" por causa de seu tempo vivendo nos Estados Unidos.

“Qual é, cara. Sinaloa é ótimo. Temos as melhores praias e montanhas incríveis.”

"O que vamos fazer lá?”

“O negócio da família.”

Gordo não fazia ideia no que estava se metendo. O pai de Javier Flores, conhecido como "El Flaco" devido ao corpo magro, era um poderoso traficante de drogas para o cartel de Sinaloa. Ele ajudou a organização a expandir as suas operações em Honduras e na Guatemala. Flaco tinha um diploma em contabilidade pelo *Tec de Monterrey*, conhecido como o MIT do México, e ajudava a organização a manter o controle das suas receitas. Flaco se envolveu com o cartel depois de acumular centenas de milhares de dólares em dívidas de jogo. A recessão econômica de 2008 prejudicou o seu pequeno negócio e só aumentou os seus problemas financeiros. O banco hipotecou a sua casa e a mulher pediu o divórcio depois de saber de todos os seus problemas financeiros. Flaco se tornou um ativo importante para o cartel de Sinaloa ao aumentar o alcance internacional da organização. Ele se tornou conhecido em Sinaloa como um homem "bem relacionado" e ninguém nunca tentou começar uma briga com ele.

A sua capacidade de ganhar dinheiro para os cartéis lhe rendeu uma pequena fortuna. Ele comprou uma mansão na praia e vários carros esportivos.

Gordo circulou entre cidades diferentes de Sinaloa. Passou algum tempo morando com Javier em Culiacán. O pai de Javier possuía várias residências espalhadas pelas montanhas de Sinaloa. Gordo subiu de escalão no cartel e ajudou a supervisionar as pessoas que a organização precisava pagar para ficar fora da cadeira ou da prisão. Seu passado em direito o ajudou a ganhar pontos entre os soldados do cartel, que o chamavam de "Harvard" por seus estudos universitários.

Gordo fez seu primeiro milhão aos vinte e sete anos. Ele criou relações com policiais locais. Enquanto a polícia mexicana tinha alguns profissionais muito trabalhadores e dedicados, a natureza perigosa do trabalho e os baixos salários tornou mais fácil subornar agentes corruptos.

"Gordo, basta dizer ao oficial que se ele não fizer vista grossa, vamos matar ele e toda a sua família", disse El Rey, um dos principais agentes do cartel de Sinaloa.

"E se ele disser não?"

"Eles nunca dizem não. Você vai oferecer o que ele ganha em três meses, só para fazer vista grossa. Vamos ver se podemos confiar nele com o passar do tempo. Se for assim, ele vai para a nossa folha de pagamento. Os policiais só estão tentando sobreviver. Vale a pena ser corrupto."

Gordo e Javier Flores eventualmente decidiram formar um novo cartel quando se cansaram de receber ordens de Joaquín Cabrera, que era um criminoso implacável. Cabrera subiu de escalão matando inimigos e subornando inúmeros funcionários do governo. A captura e extradição de Cabrera para os Estados Unidos, levou a lutas internas entre o cartel de Sinaloa sobre o futuro da organização. Os membros mais antigos e os mais novos discordavam sobre a visão da organização e como ela deveria funcionar. A Segunda Geração Unida de Sinaloa, conhecida como SGUS, consistia em jovens que queriam revolucionar a forma como o crime organizado estava fazendo negócios. Eles queriam diversificar mais em lavagem de dinheiro e crimes do colarinho branco, e usar as suas habilidades tecnológicas para aumentar o fluxo de receitas do cartel.

Gordo, Javier Flores e outros trinta desertores do cartel de Sinaloa formaram o cartel SGUS. A geração mais jovem percebeu que a violência era ruim para os negócios e queria manter um perfil mais tranquilo, a fim de evitar que o governo os caçasse. Outros cartéis, como os Zetas, sofreram enormes perdas em administrações mexicanas anteriores por sua violência implacável. Eles se tornaram famosos por esculpir a letra "Z" nos corpos das pessoas que enfrentavam a organização.

O SGUS tinha grandes planos, mas o cartel começou com o pé esquerdo depois de várias prisões e grandes apreensões de drogas pelas autoridades mexicanas.

---

1. N.T. A expressão se refere a alguém que obteve um bacharelado.

19

"Interno Gold, está na hora de ir. Dobre seus lençóis na cama e venha comigo", disse o oficial.

"Sim, senhor", respondi.

Era difícil acreditar que um mês havia se passado na prisão. Foi o mês mais longo da minha vida. Senti muita falta da minha mulher. Ela estava prestes a dar à luz e eu não queria perder o nascimento dos nossos filhos.

"Sr. Gold, o senhor pode ir. Pode buscar seus pertences na janela do lado de fora dessa porta."

"Obrigado, oficial."

Peguei minhas coisas e saí da prisão.

"Ricky." Jazmine acenou.

Eu corri e lhe dei um abraço e um beijo. "Mal consigo te abraçar. Você está crescendo."

Felizmente, consegui evitar a mídia já que a prisão me libertou dois dias antes da data prevista.

Hoje fiquei feliz por termos um carro. Às vezes me perguntava por que havíamos alugado um carro em Nova York. Eu podia comprar outro carro pelo valor do estacionamento no Upper West Side. Gostávamos de fazer longas viagens até o norte do estado aos fins de semana e nos convencemos de que o custo valia a pena. Acabei estacionando o carro em Jersey City para poupar dinheiro. Entramos no carro e dirigimos em direção ao nosso apartamento.

"Senti tanto a sua falta", eu disse a Jazmine.

"Eu também, meu amor."

"Foi um mês longo. Vou perguntar ao Saul o que ele acha que é melhor. Realmente quero voltar ao trabalho. Acho que consigo superar isso."

"Vai dar tudo certo, querido. Você vai ficar bem", disse Jazmine enquanto massageava meus ombros.

Jazmine me encorajou a me manter positivo.

"Quer dizer, se eu ainda puder praticar direito, vai ficar tudo bem. Sou o meu próprio chefe. Não tenho de explicar aos Recursos Humanos o que aconteceu. Eu sou o departamento de Recursos Humanos. Posso explicar aos meus clientes o que aconteceu. Sei que recebi muita publicidade negativa. Preciso falar com alguns colegas sobre como lidar com isso."

A imprensa publicou dezenas de histórias sobre a minha prisão. Infelizmente, eu ficaria para sempre ligado ao oficial Barry Green. O departamento de polícia divulgou uma declaração às 18h do dia após a sua prisão, dizendo que ele havia sido demitido. O promotor e os advogados de defesa chegaram a um acordo, o que reduziu o tempo que ele serviria atrás das grades.

Chegamos ao nosso apartamento no Upper West Side, depois de vinte minutos presos no trânsito.

"Me deixa te ajudar, querida. Sinto muito que você precisou dirigir. Deve ser tão desconfortável."

"Eu te amo! Estou aqui para te apoiar. Confio em você. Eu sei que você é uma boa pessoa e está fazendo tudo o que pode para ajudar os que precisam."

"Muito obrigado. Vamos subir. Você precisa descansar, meu amor."

O médico disse a Jazmine que o parto seria dali a duas semanas. Abri as portas e encontrei William deitado de barriga para cima.

"William! Você é um gato tão bobo. Senti tantas saudades."

Ele rolou e começou a se espreguiçar.

"Sentiu saudades do papai, William? Jazmine, vou tomar um banho. Preciso que você descanse no sofá. Vou pedir comida. O que você quer?"

"Comida indiana! Estou tendo muitos desejos."

"Qualquer coisa por você, meu amor."

Fomos para a cama cedo naquela noite. Não dormi bem nos últimos dias na prisão. Não por causa do barulho, mas sim porque eu não conseguia pensar direito já que estava prestes a me tornar pai.

Jazmine entrou no banheiro às 3:00 da manhã.

"Ricky, acorda. Minha bolsa estourou."

"Sério. Duas semanas mais cedo. Está bem, vou buscar as suas coisas. Vamos para o hospital."

Estava tão entusiasmado porque viraria pai que acidentalmente agarrei William quando estava de saída. Ele miou de emoção porque achou que eu iria servir o seu lanche das 3h.

"Porque você agarrou o William?"

"Ah, certo. Não preciso do gato", disse eu, sorrindo. "William, você vai ficar aqui."

Chegamos ao hospital, que ficava a apenas seis quarteirões do nosso apartamento.

"Me dá uma epidural", gritou Jazmine para a enfermeira. "Não consigo aguentar a dor. Por favor, me dá agora."

"Respira, querida. Vai ficar tudo bem."

"Vamos aplicar uma epidural, senhora", respondeu a enfermeira.

Às 7h eu, oficialmente, me tornei pai do Brian e do Steven. Os nossos meninos eram lindos e saudáveis. Me inclinei e beijei Jazmine na testa.

"Eu te amo tanto. Vou fazer tudo para proteger você e nossos lindos garotos."

"Eu também te amo", disse Jazmine, que estava radiante de orgulho. "Estou exausta, mas eu te amo."

Nunca tinha estado tão feliz em toda a minha vida. No entanto, esse momento de felicidade em breve desapareceria, pois o meu mundo estava prestes a cair e a arder em chamas.

20

Jazmine e eu estávamos nos adaptando à nossa nova vida. Eu estava trabalhando de casa em casos novos e cuidando da minha linda mulher e dos recém-nascidos. Precisava tentar me distrair da ideia em potencial de que eu nunca mais poderia exercer direito.

A polícia convenceu um dos promotores adjuntos a apresentar queixa junto à ordem dos advogados de Nova York. Infelizmente, essa não era a primeira queixa apresentada contra mim perante a ordem. Uma pessoa faz muitos inimigos quando trabalha como advogado de defesa criminal. Um promotor fez algumas pesquisas e encontrou alguns advogados de defesa que eu havia chateado há vários anos, quando eu os acusei de violações éticas.

A ordem me informou que estavam investigando o meu caso e que eu teria a oportunidade de conversar com o conselho sobre as minhas acusações. O promotor foi à público e disse que eu era um perigo para a advocacia. Ele me acusou de várias práticas antiéticas e alegou que eu tinha um problema com drogas, o que não era verdade. Outro ex-promotor encontrou uma cliente descontente, que eu havia representado quando trabalhava como defensor público, que disse que eu a havia extorquido dinheiro. Essa pessoa não tinha credibilidade, mas ela disse que as alegações eram verdadeiras. Ela também disse à ordem do estado que eu a obriguei a armazenar drogas para mim.

A polícia queria arruinar a minha vida e foi capaz de fornecer ao conselho de ética uma gravação adulterada minha conversando com um cliente. Anos mais tarde, um dos policiais admitiu que havia adulterado a gravação e a minha ex-cliente disse que havia dado o depoimento por quatrocentos dólares. Por fim, o comitê recomendou a minha expulsão permanente e o Supremo Tribunal do Estado aprovou a decisão.

Eu fiquei destroçado. A lei era a minha vida. Eu não sabia como ganhar dinheiro fazendo outra coisa. Fui para casa e enterrei a cabeça em um travesseiro. Eu não conseguia parar de chorar.

"Eu não entendo. Por que tantas coisas ruins

acontecem comigo? Eu sei que irritei a polícia e representei pessoas que não eram populares, mas isso é uma loucura. Nunca, nem nos meus sonhos mais loucos, eu teria imaginado isso. Por mais que eu saiba no fundo do meu coração que tudo o que aconteceu foi errado, o que eu sei não importa. Importa o que eu posso provar."

Jazmine sempre soube o que dizer em momentos difíceis, "Ricky, vai ficar tudo bem. As pessoas vão te ajudar. Você é inteligente. Alguém te vai dar uma oportunidade."

Passei três longos dias em uma depressão profunda. Eu queria sustentar a minha família. O meu nome havia sido arrastado pela lama. Comecei a ligar para o maior número de pessoas possível. Realmente descobrimos quem são os nossos amigos durante uma crise. Falei com alguns ex-colegas da faculdade de direito e perguntei se poderia trabalhar como assistente jurídico. Muitas pessoas compreenderam e sentiam pena de mim. No entanto, muitos deles não conseguiram que os seus sócios concordassem em me contratar. Não teria sido tão difícil encontrar um emprego se os acontecimentos que ocorreram na minha vida não fossem um espetáculo público. Havia jornalistas à espera na porta da minha casa. Eu não saía há três dias, e decidi dar um passeio e comprar fraldas para os bebês.

Um grupo de jornalistas me cercou e me bombardeou com perguntas.

Um deles perguntou: "Sr. Gold, o senhor tem alguma coisa a dizer sobre ser expulso da ordem?"

"Por que o senhor fez aquilo?"

"É verdade que extorquiu uma antiga cliente?"

"O que o senhor quer dizer aos seus antigos clientes?"

"Está sob supervisão das autoridades?"

"Vai recorrer da sua decisão? Quer voltar a exercer direito?"

Não aguentei e respondi: "Senhoras e senhores, sei que estão apenas fazendo o seu trabalho. Eu realmente respeito o trabalho e o esforço de vocês. Esse tem sido um momento muito difícil para mim e para a minha família. Eu sou inocente e continuarei a lutar para limpar o meu nome. Sei que fiz muitos inimigos por causa do tipo de pessoas que representei. No entanto, peço a vocês que respeitem a minha privacidade. Realmente não sei o que dizer. A lei é a minha vida. Eu adoro lutar pela justiça. Não sou um teórico da conspiração, mas acredito que pessoas conspiraram contra mim para me derrubar depois do incidente que aconteceu com o oficial Green. Não vou dar nomes, mas estou determinado a limpar a minha imagem. Estou lutando pela minha dignidade e respeito."

Enviei meu currículo e carta de apresentação para centenas de vagas de emprego durante as duas semanas seguintes. Contatei um caçador de talentos e pedi que me ajudasse a arranjar um emprego.

Eu não conseguia encontrar nada. Jazmine continuou a ser a minha rocha. "Ricky. Você vai conseguir. Vou começar a faculdade de direito no ano que vem. Não importa se precisarmos pedir mais empréstimos, vou nos ajudar a alcançar o sucesso. Alguém vai te dar uma oportunidade. Você tem um coração de ouro."

"Você é a melhor. É só que eu estou tão triste. O nascimento dos nossos filhos tem sido maravilhoso, mas eu não consigo compreender o que aconteceu. Ouvi histórias de terror sobre golpes e vingança, mas nunca imaginei que isso aconteceria comigo. Isso é o tipo de coisa que você vê em filmes ou lê em romances policiais."

Uma noite, precisei dar uma volta. "Vou dar um passeio rápido, meu amor. Volto logo."

"Tudo bem, querido. Pode comprar leite no caminho de volta?"

"Claro", respondi.

Saí do nosso apartamento. Mesmo que eu quase não tivesse saído de casa nas últimas semanas, perdi cinco quilos pulando refeições. Caí em uma depressão profunda e não conseguia me obrigar comer. Tentei me manter forte pela minha família e esconder a minha tristeza.

Desci a rua e caminhei três quilômetros pela cidade. Decidi tomar um drink rápido em um dos restaurantes locais conhecidos por seus hambúrgueres e excelente cerveja caseira.

21

Jason White teve dificuldades desde o dia em que foi despedido por bater no reitor Carter. Ter um registro criminal e a sua foto espalhada pela internet tornou virtualmente impossível para ele encontrar um emprego. Jason entrou em depressão e começou a ficar desesperado. Não podia pagar o aluguel do apartamento e foi forçado a se mudar. Ele não queria voltar para a casa dos pais e decidiu alugar um estúdio em Manhattan. O ponto positivo do estúdio era que ele estava sempre a um braço de distância da cozinha, do quarto e do banheiro.

Jason não tinha muitos amigos para começar, mas os poucos que tinha rapidamente viraram as costas para ele. O seu orientador da Universidade de Columbia tentou contratá-lo como cientista pesquisador para ajudar em projetos de estatística, mas a universidade vetou o pedido. Os administradores da universidade não queriam Jason, ou a má publicidade que ele traria. O professor Stein fez vários telefonemas e atestou por Jason.

"Andrew, queria saber se você consideraria trazer o Jason White, um antigo aluno meu?”

"O mesmo Jason White que esmurrou o reitor da sua faculdade depois de ter tido a posse negada, professor Stein?”

"Sim. Jason era o meu aluno do doutorado. É um ótimo cara. Ele cometeu um grave erro. No entanto, eu o conheço há muitos anos e ele sempre foi maravilhoso. Acho que ele pode ser um trunfo na sua empresa de consultoria. É um dos alunos mais esforçados que eu já tive.”

"Obrigado por me contatar, professor Stein. Vou perguntar à minha chefe. É improvável que ela concorde, mas posso perguntar.”

"Obrigado pela consideração.”

Jason nunca esqueceria a bondade do professor Stein. Ele era um homem muito ocupado e tirava algumas horas de seu dia toda semana para escrever dezenas de e-mails e falar com ex-alunos. Apesar do professor Stein ter tirado tempo para contatar antigos alunos e colegas, todas as organizações disseram não.

Jason ligou para o professor Stein para agradecer pelos seus esforços e para lhe dizer que estava agradecido que um professor estrelado da Ivy League estava se arriscando e tentando ajudar.

"Não sei como agradecer. Significa muito para mim que você esteja me ajudando nesses tempos difíceis. Nunca serei capaz de lhe pagar", disse Jason ao professor Stein. Sua voz começou a falhar e lágrimas rolaram pelas bochechas.

"É o mínimo que posso fazer. Fico feliz em ajudar. Gostaria de poder fazer mais. Gostaria que a minha universidade considerasse contratar você. Eu disse a eles que você continuaria com as aulas de controle da raiva e consultaria um psicólogo todas as semanas. No entanto, não consegui que o reitor assinasse. Eu lamento muito."

"Eu entendo", respondeu Jason.

"Considere começar seu próprio negócio. Se você produzir resultados, seus clientes não se importarão com o seu passado."

"Muito obrigado. Sim, já pensei em abrir a minha própria empresa de consultoria. Percebi que ninguém me contrataria."

"Por favor, mantenha contato Jason."

Depois de três meses desempregado, Jason reconheceu que não poderia continuar assim. Com indicação do pai, ele trabalhou em construção alguns fins de semana.

"Filho, eu não entendo porque eles não te dão mais uma oportunidade."

"Pai, sou um criminoso condenado. Todo mundo me vê como um maluco."

"Você é um professor de estatística. Não um chefão das drogas."

"Eu sei, mas as universidades não querem má publicidade. Você coloca o meu nome em qualquer ferramenta de busca na internet e a minha foto do registro da polícia aparece. Eu tenho até a minha página na Wikipédia."

"Contratamos alguns ex-presidiários aqui."

"Eu sei, pai. É ótimo que vocês deem uma segunda oportunidade às pessoas. Mas uma firma de consultoria que contrata alunos da Ivy League não quer correr o risco. Preciso começar o meu próprio negócio."

"É uma ótima ideia. Uma empresa de consultoria de segurança seria ótimo", seu pai sorriu.

"Não, pai", disse Jason, rindo.

A vida de Jason parecia estar fora de controle. Ele começou a sofrer de depressão profunda e de ansiedade. Ia para a cama à noite revivendo cada momento do evento envolvendo o reitor Carter. Ele se sentia tremendamente culpado.

"Por que simplesmente não marquei uma reunião com o reitor? Eu deveria ter mantido a calma. Eu poderia ter recebido indicação em uma outra universidade. Se ao menos não tivesse deixado o reitor me afetar."

O reitor ganhou a campanha de difamação contra o seu ex-funcionário, se certificando de dizer a qualquer um que ouvisse sobre Jason e o que ele fez. Carter ligou para gestores de contratação e ex-alunos em posições de poder no mundo corporativo. Jason tinha dificuldade em esquecer as coisas. Pensando melhor, ele deveria ter poupado dinheiro, mas decidiu contratar um investigador particular por três dias. Acontece que o reitor estava tendo um caso com outra funcionária da universidade e que trabalhava no seu gabinete. O investigador particular tirou dezenas de fotos do casal. Jason enviou cinco fotos, incluindo uma em um quarto de hotel, para a esposa de Carter e para o departamento de Recursos Humanos da universidade. Embora não seja ilegal se envolver em um caso extraconjugal, é um conflito de interesses para um supervisor estar em uma relação com alguém que ele deve avaliar todos os anos.

O reitor suspeitou que Jason estava por trás de tudo, mas não conseguia provar. Ele inicialmente mentiu, porém mais tarde assumiu a verdade. A sua mulher pediu o divórcio e a universidade o obrigou a se demitir da reitoria. Ele tinha posse como professor e voltou a lecionar.

"Tenho certeza de que Jason White fez isso", disse Carter ao seu melhor amigo.

"Você tem provas?

"Não, não posso provar. Queria nunca ter conhecido Jason White. E sabe o que é ainda pior? A universidade rescindiu a oferta para o cargo de presidente. Eles estão nomeando outra pessoa depois dessa situação. Também colocaram isso na minha ficha pessoal."

"Lamento ouvir isso."

"E a minha mulher não está falando comigo. Ela vai pedir o divórcio."

Saber que Carter não seria mais reitor e nem presidente deu a Jason alguma satisfação, não isso resolveu os seus problemas financeiros.

"Preciso sair daqui", Jason disse a si mesmo.

Ele deixou o apartamento e começou a caminhar pela rua. As longas caminhadas o ajudavam a pensar e a limpar a mente. Ele parou em um restaurante local famoso pelos seus hambúrgueres e cerveja gelada.

22

JASON ENTROU NO RESTAURANTE E SE SENTOU NO BAR.

"Ricky! O que você faz por aqui?"

"Ei, cara. Bom te ver. Faz muito tempo." *Que coincidência,* pensei comigo.

Jason e eu estudamos juntos no fundamental e no ensino médio. Ambos crescemos em Long Island e morávamos a seis quilômetros um do outro. Eu o conhecia bem. Ele sempre foi um estudante sério que trabalhou duro. Eu sabia que Jason ia longe. Infelizmente, nós perdemos contato ao longo dos anos à medida que a vida entrou no caminho. Eu estava me esforçando tanto simplesmente tentando sobreviver e não tinha muito tempo para vida social.

"Jason, quando foi a última vez que eu te vi?"

"Acho que eu vi você em Island no evento de caridade dos alunos há dez anos."

"Que loucura. Você tem razão."

"Me desculpe. Eu li os jornais. Tenho certeza de que você viu o que aconteceu comigo."

"Obrigado, Jason. Sim, eu vi. Também lamento. Já vi dias melhores. Sei que fui incriminado, mas não posso provar. Fiz muitos inimigos na polícia por causa das pessoas que defendi. A minha mulher deu à luz gêmeos."

"Nossa! Parabéns. Isso é ótimo. Me lembro de você dizer que tinha se casado."

"Obrigado, cara. É uma loucura como o tempo voa. Se você tivesse me visto há dois meses, eu teria dito que estava vivendo o meu sonho. Hoje, estou morrendo de medo."

"Eu também. Como vai a procura por emprego?"

"Terrível. Não consigo que ninguém fale comigo. Pesquisam meu nome no google e veem a minha fotografia na cadeia."

"É o mesmo para mim. O meu orientador do doutorado até tentou me ajudar. Ele fez vários telefonemas e mandou e-mails. Significou muito para mim. Ele até queria me contratar para trabalhar na sua equipe, mas não conseguiu convencer a administração", respondeu Jason.

"É uma loucura, cara. Você tem um PhD em estatística. Em circunstâncias normais, você seria capaz de encontrar emprego em um piscar de olhos. Quer dizer, você é um computador humano. Eu me lembro de você fazendo cálculo avançado no seu primeiro ano.

"Obrigado pelas palavras", respondeu Jason.

"Como os seus pais estão lidando com a notícia?"

"Estão tentando me apoiar. Eu estava trabalhando em obras aos fins de semana com o meu pai. Ele nunca me compreendeu e acho que nunca vai compreender. Ele não entende porque nem uma única empresa me contrataria. Eu disse a ele que as pessoas acham que eu sou uma bomba relógio", disse Jason.

"É uma loucura."

"Como estão os seus pais? perguntou Jason.

"Você sabe que a minha mãe tem estado doente, certo?"

"Ouvi dizer que ela teve um AVC. Isso é verdade?"

"Sim. Tem sido muito difícil para o meu pai. Ele não tem conseguido lidar com o stress."

"Posso imaginar. Ele ainda está gerenciando o consultório médico?"

"Não. Infelizmente ele foi preso por dirigir embriagado há vários anos e foi demitido. Ele trabalha há dois anos gerindo um restaurante. É muito estressante, porque ele passa os dias e as noites gritando com os empregados para trabalharem mais. Tem sido difícil para ele. O meu pai queria que eu fizesse direito empresarial. Talvez eu devesse ter ouvido", disse eu, rindo.

Nos sentamos durante duas horas, comendo hambúrgueres e bebendo algumas cervejas. Eu não via o Jason há anos, mas parecia que havia sido ontem que estávamos no ensino médio. O tempo realmente voa. Muitas vezes é difícil fazer amigos de verdade quando se é adulto, dado o quão ocupadas as pessoas são. No entanto, eu passei centenas de horas com Jason quando era criança, por isso o conhecia muito bem. Nós nunca fomos populares na escola, mas tínhamos um pequeno grupo de amigos que gostavam de sair. Eu sempre respeitei o Jason pela sua dedicação aos trabalhos da escola e pela sua vontade de ser bem-sucedido.

Foi ótimo matar as saudades com ele. Era engraçado – e ao mesmo tempo triste – que ambos demos um passeio naquela noite, tentando limpar as nossas mentes e descobrir o que faríamos com o nosso futuro.

"Qual a probabilidade de nos encontrarmos depois de todos esses anos em um restaurante em Manhattan?"

"Eu sei. É uma loucura."

"É mesmo. Mas ainda bem que nos encontramos", disse eu.

"Ricky, eu tenho uma ideia. Por que não abrimos uma empresa de consultoria? Ninguém vai nos contratar. Você é um advogado e eu sou um estatístico. Podemos fazer consultas para empresas e políticos."

"É uma ótima ideia. Eu adorei."

"Sério?"

"É, cara."

"Mas você acha que alguém vai trabalhar a gente? Eu estava falando com o meu orientador, o professor Stein, e ele me disse que os resultados são a única coisa que importa. As pessoas podem nos perdoar se conseguirmos produzir. Acredito que no início teremos dificuldade em encontrar clientes. Mas podemos ganhar contratos trabalhando a taxas mais baixas e fazendo os pequenos trabalhos que os concorrentes não estão dispostos a fazer."

"Fui expulso da ordem, então não posso dar conselhos legais."

"Sim, mas podemos usar as suas habilidades para outras coisas. Publiquei sobre gestão de cadeias de abastecimento e como melhorar a avaliação do desempenho utilizando estatísticas. Você pode me ajudar a apresentar o material e tornar as estatísticas compreensíveis para um público comum ou nossos clientes. Às vezes eu me empolgo e confundo as pessoas quando falo sobre matemática e estatística. Você tem grande habilidade para falar em público. Pode ajudar as empresas a melhorar seus procedimentos de comunicação ou ajudar os políticos a escreverem discursos."

"Nossa! Nunca pensei nisso."

"Você não é só um advogado. Não pode ser a única coisa que te define. Você adquiriu todas essas habilidades na faculdade, e trabalhando no tribunal, que podemos traduzir para o mundo real. Você é ótimo lendo, escrevendo e editando. Trabalhar como advogado de defesa requer que você negocie."

Percebi como Jason estava entusiasmado naquele momento. Estar desempregado e ter tantas pessoas virando as costas para ele causou uma depressão profunda no meu velho amigo de Long Island. Jason ficava animado com um emprego e depois ficava inconsolado quando eles lhe enviavam uma carta de rejeição.

Ele tinha até um nome para a nossa empresa.

"White Gold. O que você acha?"

"Perdão?"

"Pode ser o nome da nossa empresa. Podemos criar uma sociedade de responsabilidade limitada rapidamente. É um nome ótimo. Depois podemos arranjar um escritório e contratar outros empregados."

"Isso parece fantástico. Vamos em frente."

Jason e eu conversamos por mais uma hora. Nos separamos, já que eu precisava comprar leite e voltar para a minha família. Disse a Jason que ligaria pela manhã e iríamos planejar os próximos passos.

23

"AGENTE GÓMEZ, QUERO VÊ-LO NO MEU ESCRITÓRIO."

"Sim senhor. Qual é a situação da operação Hack?"

"Vamos invadir o complexo esta noite. O meu informante disse que o cartel de Sinaloa usa essa área para esconder drogas em vans e carros. Eles também estão misturando fentanil com a heroína."

"Excelente. E o líder? Como se chama?"

"José Obrador. Ele é conhecido pelo apelido, 'El Mexicano'."

"Sim, aquele cara. Ele foi visto?"

"Estamos atrás dele há meses. O nosso informante diz que ele vai aparecer essa noite para dar ordens aos soldados do cartel."

"Isso é grande, agente Gómez. Precisamos que tudo dê certo nessa operação. Não queremos erros como o que aconteceu há três meses. Precisamos encerrar a operação e apanhar o Obrador. Se tudo correr bem, ele estará em um avião para os Estados Unidos amanhã. O governo dos EUA vem querendo extraditá-lo há vários anos. Querem julgá-lo em Nova York e mandá-lo para a prisão de segurança máxima no Colorado."

Pedro Gómez não conseguia acreditar. Ele não conseguia acreditar que estava trabalhando como agente da Administração de Combate às Drogas no México. Ele havia percorrido um longo caminho desde as suas origens humildes. Nasceu na República Dominicana, mas a sua família se mudou para Washington Heights em Nova York quando Pedro tinha quatro anos de idade. Seu pai e sua mãe vieram para os Estados Unidos para perseguir o sonho americano. Eles tinham vários membros da família que viviam em Nova York há uma década e decidiram seguir seus passos e vir para a cidade. O custo de vida em Nova York se tornou demais para os pais de Pedro. Quando ele tinha dezesseis anos, eles se mudaram para uma casa geminada no norte da Filadélfia. Pedro não estava feliz em deixar para trás seus amigos de infância em Nova York.

"Pai, eu não quero me mudar para a Filadélfia. Gosto de Nova York. Não quero começar tudo de novo. Tenho um bom grupo de amigos aqui. Vou sentir muita falta deles. Somos como irmãos. Fazemos tudo juntos. Temos até a nossa própria liga de beisebol."

"Eu sei, filho. Vai dar tudo certo. Você vai fazer novos amigos. Recebi uma boa oferta de emprego para trabalhar como gerente de segurança de um edifício empresarial. Podemos viver em uma casa maior. Nova York está ficando cada vez mais cara. Você precisa gastar dinheiro só para respirar nessa cidade. É difícil viver em Manhattan a não ser que você seja uma celebridade ou um gestor de fundos. Nova York não é feita para pessoas da classe trabalhadora com famílias."

"Odeio a Filadélfia. Essa cidade não se compara a Nova York. Você pode fazer qualquer coisa em Nova York. É a melhor cidade do mundo. Não quero me mudar para uma cidade cheia de fãs do Filadélfia Eagles. Odeio os Eagles e os fãs deles são os piores."

O pai de Pedro riu e disse: "A Filadélfia tem muito para oferecer. Tem muito mais do que apenas os Eagles. Olha, eles têm se saído bem nesses últimos anos. Mas sério, você vai acabar gostando da cidade. Sei que você está chateado, mas vai ficar tudo bem."

Pedro terminou o ensino médio na Filadélfia. O ajuste foi difícil no início, mas ele se tornou bastante envolvido nos esportes. Ele corria, jogava basquete e futebol. Os pais de Pedro gostavam que ele se mantivesse ocupado. Os esportes não só o mantiveram em ótima forma física, como também o mantiveram fora das ruas. Apesar de Pedro e sua família viverem em uma bela casa, que era muito maior do que o apartamento deles em Nova York, o norte da Filadélfia era um dos bairros mais pobres da cidade. O local era atormentado por crimes e violência. Quinze tiroteios relacionados a drogas, durante um período de quatro dias no bairro, causaram medo entre os moradores.

Quando chegou a hora de escolher uma faculdade, Pedro decidiu estudar na Universidade Temple, uma grande instituição pública com excelente reputação e uma grande variedade de cursos para escolher. Ele queria voltar a estudar em Nova York, mas não tinha dinheiro para frequentar uma instituição privada. Teria que pagar mensalidades para alunos de fora do estado ou de fora da cidade, já que ele não residia mais na área, o que tornava mais difícil frequentar a Universidade da Cidade de Nova York ou a Universidade Estadual de Nova York. A Universidade Temple também lhe ofereceu uma bolsa de setenta e cinco por cento, ficando difícil de recusar.

Pedro queria estudar justiça criminal porque queria se tornar agente do FBI. Seus pais, no entanto, queriam que ele estudasse direito ou medicina.

"Vire um médico ou advogado, filho. Ser policial é um trabalho muito perigoso. Veja todos os crimes que acontecem nessa cidade", disse o pai quando Pedro informou que queria se tornar policial.

"Pai, eu não quero um trabalho de escritório. Quero ajudar a limpar as ruas. Posso fazer a diferença. O salário é bom e posso subir de posição e trabalhar no governo federal. O governo federal tem os melhores benefícios."

Pedro se destacou em Temple e decidiu se candidatar ao Departamento de Polícia da Filadélfia durante seu último ano de faculdade.

"Olha filho, alguns anos trabalhando na polícia da Filadélfia vão te dar muita credibilidade nas ruas", disse um dos recrutadores.

"Experiência na polícia local ajuda alguém a subir para o governo federal?"

"Sem dúvida", disse o oficial, enquanto olhava para o currículo de Pedro. Ele continuou, "Você tem uma média de 3,8 e é fluente em espanhol. O departamento de polícia está promovendo a diversidade. Falar espanhol é uma grande vantagem. Estamos tentando recrutar pessoas de todas as esferas da sociedade. Estamos realmente à procura de pessoas que falem línguas úteis. Se você passar alguns anos na polícia da Filadélfia, os federais vão lutar para te contratar."

"Sério?"

"Você é um garoto esperto. Agora precisa de experiência nas ruas. Você vai ver de tudo na polícia da Filadélfia. Talvez decida ficar. Temos alguns oficiais que trabalham há quarenta anos. Outros tentam sair e chegar ao governo federal o mais rápido possível."

"Obrigado, senhor. São ótimas notícias. Agradeço muito."

Pedro se formou em Temple e foi aceito na Academia de Polícia da Filadélfia, que durou nove meses. Passou um ano como policial de patrulha e depois passou para a divisão de narcóticos depois de um agente ter sido ferido no cumprimento do dever.

Pedro adorava trabalhar em narcóticos. Ele viu o que as drogas fizeram com o seu bairro no norte da Filadélfia e queria ajudar a limpar as ruas e reduzir o número de drogas que fluíam através da cidade.

"Pedro, você está pronto? Vista-se."

"Sim, senhor. Estou pronto. Vou buscar o meu equipamento."

"Vamos nos reunir por um segundo. Estaremos em Kensington. Temos dois agentes infiltrados que vão comprar heroína de traficantes locais. Estaremos posicionados por toda a área e vamos derrubar os bandidos. Vamos continuar nos movendo por Kensington e tentar fazer o máximo de detenções possível."

Pedro entrou no carro de polícia não-identificado com o seu parceiro.

"Está pronto, Gómez?"

"Pronto para correr. Vamos arrasar", respondeu Pedro.

A equipe de oito pessoas saiu da estação e seguiu em direção a Kensington. Esse bairro do norte da Filadélfia havia sido duramente atingido pela epidemia de opioides e estava cheio de crimes e violência. A cidade não sabia o que fazer. A polícia achava que as prisões resolveriam o problema. Kensington se tornou o epicentro da epidemia de opioides na Filadélfia e tinha centenas de pessoas vivendo nas ruas. Os traficantes de drogas haviam começado a misturar heroína com fentanil, que é cerca de cem vezes mais potente do que a morfina.

"Esse lugar está cheio de zumbis. Essa gente precisa de ajuda. Precisamos prender os traficantes e parar o fluxo de drogas", disse o parceiro de Pedro, agente Jarvis.

"Isso é tão triste. Olha para essa moça. Eu sei quem ela é. Acho que já a prendemos antes por prostituição. Ela faz isso para alimentar o vício da droga. É terrível. Essa é a filha, irmã ou talvez até a mãe de alguém."

"Tem razão. Já prendemos ela duas ou três vezes. Se lembra?"

Os oficiais passaram por uma jovem de vinte

anos que tropeçou e se sentou em um colchão jogado no chão. Kensington havia visto um aumento de trinta por cento em sua população de moradores de rua ao longo dos últimos três anos. As pessoas construíram o que é conhecida como cidade das barracas, embaixo de uma ponte coberta de grafitti.

O agente Jarvis abriu a janela. "Ei! O que você está fazendo por aqui?”

"Tive outra recaída", respondeu ela.

"Não gostamos de te ver aqui outra vez. Você não aprendeu a lição da última vez que esteve presa? Precisamos te levar de volta?”

"Eu sei. Fiquei bem por algumas semanas. Odeio viver aqui. Preciso de ajuda. Estou doente.” Ela começou a chorar.

"Visite os médicos na Casa de Maria. Eles podem te ajudar a conseguir tratamento e entrar em um programa.”

"Eles não têm espaço. Disseram para tentar de novo daqui a umas semanas. Estive no programa com eles quatro vezes.”

"Não queremos ver você pelas ruas.”

Ela enterrou a cabeça nas mãos e começou a chorar. O agente Jarvis subiu a janela e continuou dirigindo. Eles tinham coisas mais importantes com que se preocupar e precisavam se posicionar para a operação.

"Sinto pena dela. De verdade. Precisamos eliminar os traficantes", disse Jarvis.

O agente Jarvis estava nos narcóticos há cinco anos e era um verdadeiro guerreiro contra as drogas. Ele acreditava que o problema estava no fornecimento. Ele se opôs à iniciativa de uma ONG local, que abriu um espaço seguro para que os usuários pudessem se injetar, com o objetivo de reduzir as mortes e doenças causadas pela partilha de agulhas infectadas.

"Esse local seguro para injeção só quer ajudar os drogados a alimentarem o vício. Eles não estão ajudando o problema", afirmou Jarvis.

"Bem, eles dizem que estão tentando reduzir as mortes. É uma abordagem de redução de danos", respondeu Pedro.

"Precisamos prender os traficantes. Se ao menos o procurador Williams os condenasse à prisão perpétua. Os usuários e os traficantes. Não me interessa se isso levar ao aumento da população carcerária. Nós precisamos trancá-los e jogar as chaves fora. Construir mais prisões. Eu concordo com isso."

Ward Williams estava completando seu segundo ano como procurador. Ele defendia a plataforma de ser "esperto" com relação ao crime. Ele não acreditava em prender pequenos traficantes e encher o nosso sistema prisional. Também disse que os usuários precisavam de acesso a tratamento e reabilitação.

"Estamos em uma crise de orçamento. O estado não tem dinheiro. Ward Williams está nos algemando. Não podemos fazer o nosso trabalho como policiais com esse cara no comando. Não entendo por que esse país insiste em eleger promotores. Eles são todos políticos sem nenhuma coragem. Prendemos todos esses traficantes nas ruas e o procurador Williams ou dispensa o caso ou dá uma punição insignificante. Eles saem em alguns meses fazendo a mesma coisa. É como se ele não quisesse que eles fossem presos em primeiro lugar. Conhece o Stanley do primeiro distrito?"

"Sim, já o vi algumas vezes."

"Ele prendeu um cara cinco vezes e ele ainda está na mesma esquina vendendo qualquer coisa que os usuários queiram comprar."

Pedro e o agente Jarvis, estacionaram do outro lado da rua, em frente à uma casa conhecida pelo tráfico de drogas. O imóvel abandonado estava coberto de grafitti e o quintal da frente estava cheio de lixo.

"Esse lugar parece uma zona de guerra. É uma loucura. Essa é uma área escolar, cara. Precisamos tirar esses traficantes das ruas. Você nem sequer pode levar o seu filho à escola sem testemunhar traficantes vendendo drogas. Essas crianças não deviam ter que ver isso. Precisamos fazer dessa área uma zona livre de drogas. Precisamos fazer o que for preciso. Os políticos só falam em melhorar as cidades, mas eles têm medo demais de vir até aqui e lutar pela mudança. Desculpa, mas essas coisas me deixam louco", disse Jarvis.

"A cidade vai demolir algumas dessas bocas de fumo?"

"Não, cara! Eles têm medo de fazer qualquer coisa, Pedro. Os políticos não têm coragem. Prometem reformar tudo. Resolver esses problemas requer alguém que não tenha medo de dizer coisas que são controversas. Requer alguém que esteja disposto a fazer coisas que não são populares. Já conheceu algum desses políticos? São um bando de advogados que vivem em apartamentos chiques e casas nos subúrbios. Eles não querem vir aqui e ver o que está acontecendo nas ruas de Kensington."

Pedro e Jarvis deram a volta no quarteirão e estacionaram o carro a três quarteirões da casa abandonada, que centenas de pessoas usavam para injetar drogas.

"Gómez e Jarvis."

"Sim, chefe."

"Estão em posição?"

"Sim, senhor. Estamos caminhando em direção ao posto de vigia."

Pedro e Jarvis subiram os degraus até uma linha de trem abandonada e tiraram os binóculos.

"Estamos em posição, chefe."

"Vocês são os meus olhos no céu."

A equipe estava em posição e pronta para derrubar o traficante. A policial infiltrada caminhou até o armazém abandonado. Ela era uma verdadeira profissional e uma grande atriz. Estava usando roupas rasgadas e parecia que estava morando na rua há uma semana. Os traficantes não conheciam todos os seus clientes porque muitas pessoas entravam e saíam de Kensington todos os dias. Não era a primeira vez que ela comprava drogas desse cara, por isso o traficante estava menos nervoso.

Um garoto, que não podia ter mais de vinte anos, começou a caminhar em direção à esquina.

"Ele está em movimento", disse Jarvis pelo rádio.

O jovem olhou em volta da vizinhança e caminhou até à boca de fumo. Ele continuou andando e parou ao lado da casa. A agente infiltrada acenou com a cabeça para o jovem e começou a se aproximar.

"Ele entregou a droga a ela. Ela acabou de passar o dinheiro."

"Vão, vão, vão", disse o líder da equipe.

Dois carros pararam em frente à casa e os outros dois agentes, à espreita na vizinhança, correram e apontaram suas armas.

"Largue a droga."

A agente infiltrada largou a heroína com fentanil no chão.

"Mãos ao alto."

A polícia não queria estragar o disfarce, por isso também a algemaram. Eles algemaram o jovem, falaram os Direitos de Miranda deles e verificaram o seu registro criminal.

"Você tem andado ocupado. Essa é a sua sexta prisão."

O jovem não ficou abalado pela polícia. Ele vinha traficando drogas desde os treze anos de idade.

A polícia partiu para outra zona do bairro a dez minutos de distância.

"Bom trabalho, Liz. Espero que as algemas não estavam muito apertadas", eles disseram à policial disfarçada enquanto a liberavam.

"Muito obrigada. Não, está tudo bem. Não se preocupe comigo. Sabe, eu já vi esse garoto por aqui muitas vezes. Está traficando drogas pesadas. Ele deveria estar na escola. É triste ver esses garotos se tornarem vítimas da vida na rua."

"Tomara que o nosso maravilhoso procurador o condene. É o suficiente para uma longa estadia na prisão. Ele tem uma ficha séria."

"Outro fora da rua, senhoras e senhores. Bom

trabalho. Prender e fichar todos eles", disse o líder da equipe.

Até as 22h a equipe de narcóticos havia prendido dez traficantes e mais vinte usuários.

"Foi um grande dia, time. Tiramos alguns traficantes perigosos das ruas hoje. Descansem. Continuaremos amanhã.”

24

Pedro Gómez passou cinco anos na polícia da Filadélfia. Ele poderia ter continuado a fazer provas de promoção e subir de escalão. Provavelmente teria se tornado capitão da polícia nos próximos vinte anos. No entanto, ele queria algo diferente e decidiu se candidatar ao FBI e à Administração de Combate às Drogas. O FBI procurava alguém para trabalhar com inteligência, enquanto a DEA queria pessoas que estivessem dispostas a se mudar de local e a prender traficantes de drogas no país e fora dele. Pedro adorava trabalhar em narcóticos e sentia que era algo natural para ele. Ele aceitou uma posição como agente na DEA. Depois de um ano no escritório da Filadélfia, surgiu a oportunidade de se mudar para o México, por dois ou três anos. Os pais de Pedro não entenderam a sua decisão. Eles tinham medo de que algo lhe acontecesse.

"Filho, eu não entendo. Você tinha um ótimo trabalho com a DEA aqui na Filadélfia. Por que você vai se mudar para o México agora? O México não é perigoso?"

"Pai, eu preciso aproveitar essa oportunidade se quiser subir de escalão. É uma posição temporária. Não vou ficar no México por dez anos. Vou ganhar muita credibilidade nas ruas. Eles estão procurando pessoas que falam espanhol", afirmou Pedro.

"Eu entendo. Só estou preocupado com a sua segurança. Você não vai ensinar inglês a crianças no ensino médio. Vai caçar traficantes de drogas. É um jogo completamente diferente, filho."

"Eu sei, pai. Vou ficar seguro. Sou solteiro e não tenho filhos. Esse é o momento de me mudar. Quero uma posição de liderança um dia. É disso que eu preciso. O meu chefe está feliz comigo e já disse que isso vai me ajudar a subir de escalão."

"Você já ouviu falar de um agente chamado Kiki Camarena? Os líderes do cartel o torturaram."

"Eu sei, pai. As coisas são diferentes. Não estamos nos anos 80. Eu vou ficar bem."

Pedro se mudou para a Cidade do México dois meses depois de informar seus pais sobre a sua decisão. Ele ajudaria as forças especiais mexicanas a derrubar alguns dos traficantes mais procurados que operavam no país. O governo dos Estados Unidos não confiava na polícia mexicana, dado o seu histórico de corrupção. No entanto, a força militar mexicana e as agências federais dos EUA trabalhavam em estreita colaboração. O governo dos Estados Unidos forneceu ao governo Mexicano vários bilhões de dólares em ajuda externa, através de uma iniciativa conhecida como Plano México, que buscava combater o narcotráfico e o crime organizado. Os militares norte-americanos treinaram soldados mexicanos e policiais e forneceram equipamentos.

O parceiro de Pedro era Johnny Mandel, um jovem de trinta e quatro anos, vindo do Arkansas. Mandel fez três missões no Oriente Médio e depois trabalhou com narcóticos no interior do Arkansas. Ele sentia falta da ação e queria se manter ocupado. Ele estava no México há três anos. Antes de vir para o México, Johnny viveu em Bogotá, na Colômbia, por quatro anos e San Pedro Sula, Honduras, por um ano. O seu espanhol ainda era horrível mesmo depois de viver na América Latina e ter horas de aulas particulares. Ele tinha um péssimo sotaque gringo e poucas pessoas o entendiam quando ele tentava falar espanhol. Apesar do seu espanhol pobre, Johnny adorava cada minuto da vida na América Latina.

A DEA colocou o agente Mandel com Pedro, que

falava um espanhol impecável. Os pais de Pedro haviam lhe dado muitos livros em espanhol para ler quando criança. Ele também havia melhorado a sua escrita profissional estudando espanhol durante a graduação na Universidade Temple.

"Pedro, você vai trabalhar com o agente Johnny Mandel. Ele é um cara legal. Às vezes, ele gosta de quebrar as regras. Por favor, tente mantê-lo na linha. Os relatórios dele não servem pra nada. Por isso, eu preciso que você use o seu diploma universitário e escreva informações claras. Precisamos estar em comunicação constante com a Embaixada dos EUA."

"Sim, senhor. Vou me certificar de que escrevamos tudo e entreguemos os relatórios a tempo."

"Ótimo! Me avise se precisar de alguma coisa. Tenho uma política de portas abertas."

"Obrigado, senhor."

Os primeiros meses fizeram Pedro perceber que havia feito a escolha certa. O que Johnny não sabia sobre livros, ele compensava com esperteza nas ruas. Ele era um ótimo parceiro e lhe mostrou como fazer o trabalho. O plano era apreender drogas e capturar os principais líderes da lista. O presidente do México havia duplicado o número de extradições para os Estados Unidos nos últimos cinco anos. Ele até mesmo publicou sua própria lista com os cento e vinte e sete chefões das drogas mais procurados.

Pedro nunca esqueceria a sua primeira grande operação no México.

"Pedro, temos um grupo de soldados do cartel Tabasco que vai transportar toneladas de cocaína da América Central para o México amanhã. O cartel Tabasco se mudou para a Guatemala e comprou parte da polícia local em Chiapas, incluindo alguns em cargos altos."

"Esse é o estado vizinho da Guatemala, certo?"

"Isso mesmo. Estou vendo que você tem estudado o seu mapa do México. O teste de quem pode nomear os trinta estados mexicanos mais rápido vai começar em alguns minutos", disse Johnny, rindo.

"Ouça Pedro, temos um informante que sabe onde as drogas serão escondidas. A cocaína será armazenada e distribuída no dia seguinte por todo o México. O cartel Tabasco fez um acordo com os irmãos Ortega de que eles não vão traficar drogas ao leste do Texas. O cartel está transportando drogas do Texas para pelo menos outros sete estados dos EUA. Em Los Angeles, eles trabalham com gangues locais, principalmente a gangue da Rua 18, para distribuir as drogas."

"Quando partimos?"

"Às 18h. Vá buscar uma muda de roupa e me encontre aqui em uma hora. As forças especiais mexicanas vão nos dar uma carona. Eles são bem durões.

Você vai adorar trabalhar com eles. São muito profissionais."

Pedro correu para casa e voltou o mais rápido que pôde. Ele serviu como tradutor no avião militar Mexicano.

"A polícia local sabe sobre essa operação? Precisamos ter muito cuidado."

"Não dissemos nada a eles", disse o comandante. "Durante operações especiais, não dizemos nada a ninguém fora da nossa unidade. O general Guerrero não nos deixa dizer nada, então mantenha a boca fechada. Temos algumas unidades de inteligência no campo que verificaram os detalhes do informante da DEA."

"E os policiais corruptos?"

"O gabinete do procurador-geral está construindo um caso. O comandante da força policial esteve envolvido no tráfico de drogas. Há rumores de que ele recebe dez mil dólares por mês para deixar os cartéis traficarem. Mas ele tem um grande problema."

"Ele vai ser preso?"

"Esperamos que sim. Há um problema de curto prazo para ele. Dez dos principais cartéis e dezenas de gangues locais estão lutando pelo controle do estado de Chiapas, dada a sua proximidade com a Guatemala. O chefe da polícia fez alguns inimigos entre os soldados do cartel revolucionário de Tamaulipas. Eles disseram que o preço era muito alto. Ele ofereceu algumas concessões, mas também queria que eles lhe dessem algumas das reservas de drogas e armas do cartel. Isso resultou em um jogo de negociações entre várias figuras do crime."

"O egoísta vai ser morto antes do procurador-geral apresentar uma queixa formal."

"Um dos nossos informantes disse que um dos cartéis discutiu matar o chefe de polícia. O cartel da Próxima Geração matou quatro policiais em um dia, e deixou uma ameaça em forma de 'narco-mensagem' nos cadáveres. O chefe da polícia entendeu e tentou fazer uma trégua."

"Que confusão", respondeu Pedro.

"Nem me fale. Precisamos ser cuidadosos com essa operação. Estamos tentando enviar uma mensagem ousada para os cartéis de que o estado vai responder."

"O presidente vai aumentar o número de tropas?"

"Ouvimos dizer que ele vai enviar mais dez mil."

"Pelo menos. Ele vai enviar militares mexicanos e três mil policiais federais. Fará o anúncio amanhã à noite, depois da nossa operação."

Pedro adorava cada minuto do seu trabalho no México. Ele tinha uma autorização de segurança que lhe dava acesso a informações ultrassecretas. Os mexicanos muitas vezes reclamavam que eles davam à DEA todas as informações, mas a DEA nem sempre compartilhava informações com os militares mexicanos ou com a comunidade de inteligência. Pedro aprenderia que a história, a desconfiança e as diferenças institucionais, muitas vezes criam obstáculos e dificultam a cooperação entre os dois países.

Johnny nem sempre se preocupava em seguir as regras. Ele compartilhava informações quando sentia que aquilo poderia ser útil e poderia ajudar a alcançar os objetivos. Ele odiava a burocracia e as brigas entre as agências e argumentava que isso só atrapalhava a missão da DEA.

"Foi isso que você escolheu, Pedro. Tirar os bandidos e as drogas das ruas. Queremos proteger os americanos lá em casa", explicou Johnny.

Pedro e Johnny chegaram com as forças especiais em Tuxtla Gutierrez.

"Chiapas é um dos meus estados favoritos no México. Adoro a cultura. Passei três dias inteiros passeando pelas antigas ruínas Maias em Palenque. Não vou deixar os traficantes destruírem esse estado tão lindo", declarou Johnny.

A equipe passou a noite se preparando para a operação. Trinta unidades das forças especiais estavam se preparando para invadir um conjunto de casas em Tuxtla Gutierrez, que o cartel Tabasco usava para armazenar drogas e armas.

Às 4h, as forças especiais se instalaram em um conjunto de casas em um bairro de classe média. Eles arrombaram as portas.

"Mãos ao alto. Mãos ao alto! Abaixem as armas!"

Um grupo de membros do cartel foi apanhado de surpresa porque havia pagado o chefe da polícia para não ter problemas com as autoridades. Eles não faziam ideia de que as forças especiais estavam chegando. Quatro suspeitos começaram a fugir, enquanto outros dois pegaram as AR-15 e começaram a disparar tiros.

"Tiros disparados! Tiros disparados!"

"Fui atingido", gritou um soldado quando a bala entrou no seu braço.

Vários oficiais prenderam suspeitos que estavam empacotando drogas na mesa, enquanto uma equipe de soldados perseguiu os outros traficantes.

Pedro e o Johnny serviram como vigias e observaram o perímetro. O objetivo de fazer uma invasão às 4h era não só surpreender os suspeitos, mas também menos pessoas estariam nas ruas. As forças especiais não queriam que nenhum civil fosse ferido.

Pedro olhou para cima e viu uma enorme nuvem de fumaça. Um dos traficantes havia disparado no tanque de gasolina de um carro criando uma distração para que pudesse escapar.

A operação parecia ter demorado uma eternidade, mas durou apenas dez minutos.

"O Natal chegou mais cedo, rapazes", gritou um comandante. "Nunca vão adivinhar quem estava prestes a entrar em um túnel que ligava duas casas ao sistema de esgotos."

"Nós o pegamos. Andreas Martínez foi capturado."

"Você pegou o El Loco?'"

"Sim, senhor!

Martínez era um dos traficantes de drogas mais procurados no México. Ele foi responsável pelo massacre de vinte imigrantes que atravessavam da América Central através do México. Tinha uma ficha longa, mas havia evitado cumprir pena na prisão através de uma série de subornos para juízes, policiais e funcionários do governo. Ele também ameaçou matar testemunhas, tornando muito difícil processá-lo, já que ninguém queria testemunhar contra um dos homens mais procurados do México.

Martínez construiu túneis por toda a cidade. Ele era paranoico e nunca dormia na mesma casa mais do que uma noite seguida. Construía túneis através de uma série de casas e visitava suas várias amantes.

As forças especiais saíram com Martínez.

"Você já esteve em Nova York? Vai ter uma vista panorâmica da prisão federal no centro do Brooklyn."

"Quero falar com o meu advogado", disse Martínez.

“Relaxa. Você vai ter tempo de ligar para ele. Precisamos pegar um avião de volta para a Cidade do México. A extradição vai demorar algumas semanas. Fique calmo. Você não vai ser extraditado amanhã.”

Pedro e Johnny entraram no edifício e viram uma fila de traficantes de drogas, de cara no chão, com algemas apertadas nos pulsos.

"Juntem tudo", instruiu o comandante.

Os outros oficiais começaram a confiscar as quantidades aparentemente infinitas de cocaína.

Johnny se virou para Pedro e disse: "Deve haver cinquenta milhões de dólares em cocaína aqui.”

"Nossa", disse Pedro, enquanto olhava ao redor. O seu queixo estava caído.

"Não vamos deixar esses traficantes destruírem um dos lugares mais bonitos do mundo. Me recuso a deixar que isso aconteça. Essa operação vai enviar uma mensagem clara para eles", afirmou Johnny.

Ele se via como um guerreiro lutando para limpar as ruas. O seu irmão havia morrido de overdose e ele queria livrar o mundo das drogas. Nesse ponto da sua carreira, ele sentia que estava ajudando o México e os Estados Unidos a melhorarem a segurança e salvar vidas. No fim da carreira, ele se sentiria cansado. Escreveu um livro durante a aposentadoria sobre a guerra fracassada contra as drogas e se tornou um defensor entusiasmado da necessidade de reduzir a demanda por drogas através de tratamento, reabilitação e educação. No entanto, nesse ponto na história da sua vida, Johnny era um verdadeiro guerreiro e queria fazer grandes mudanças.

"Bom trabalho, Pedro. Ajudamos a tirar alguns bandidos das ruas. Você vai dormir bem essa noite."

25

"Posso falar com o Robert? Aqui é Jason White."

"Olá, Jason. Como você está?"

"Estou bem. Queria saber se a minha empresa de consultoria poderia ajudá-lo a melhorar a eficiência do seu negócio. Nós usamos análise de *big data* para ajudar a maximizar a eficiência e reduzir custos. A minha empresa, White Gold Consultoria, lhe enviou uma cotação por e-mail."

"Eu vi. Ouça, agradeço muito a sua proposta. Os seus preços parecem competitivos. Mas tenho um problema. Infelizmente, o meu chefe fez uma pesquisa e não quer trabalhar com nenhum de vocês. Eu lamento muito."

"Nós podemos superar os números dos seus concorrentes."

"Vamos trabalhar com outra empresa que já usamos no passado. Obrigado pela sua ajuda."

Jason contatou pelo menos cinquenta empresas, assim como agências governamentais. Ele tentou até mesmo trabalhar com candidatos à cargos políticos.

"Representante Barns. Como vai? É o Jason White. Eu lhe enviei um e-mail sobre a sua candidatura ao Senado. Como pode ver no meu currículo, sou um estatístico e posso usar técnicas sofisticadas para ajudá-lo a melhorar a precisão das suas pesquisas. Análise de *big data* pode revolucionar a sua campanha. Eu, e o meu sócio também, podemos ajudá-lo a adaptar a sua comunicação para compreender melhor as pessoas que o senhor pretende representar."

"Jason, obrigado pela ligação. Estou muito impressionado com as suas credenciais. Vou ser muito direto com você. Espero não te ofender."

"Não senhor. O meu sócio e eu também somos muito diretos."

"Não posso me associar a dois criminosos condenados. Isso é política. Os meus adversários contrataram investigadores particulares para desenterrar tudo o que eu fiz na minha vida. Você pode imaginar o que a mídia diria quando descobrisse que você e o Ricky Gold são os meus consultores políticos?"

"Podemos ficar nos bastidores."

"Eu não posso fazer isso. Sinto muito. Eu sei que vocês estão tentando ajudar, mas preciso ter muito cuidado e não posso ser associado a vocês dois. Os seus nomes estão espalhados na mídia e os meus adversários me crucificariam se descobrissem que os contratei. Desejo tudo de bom para você."

Jason fez uma pausa nas suas sondagens e me ligou. Estávamos trabalhando de num café local.

"Ricky, como vão as coisas?"

"Bem. Não posso me queixar. Lamento não ter podido encontrar com você hoje. Precisei levar meus filhos ao médico."

"Alguma sorte do seu lado?"

"Não. Acabei de falar ao telefone com dois grandes clientes em potencial. Ambos me recusaram. Disseram que podemos causar problemas para eles."

"Nós matamos alguém? Quando alguém vai nos dar uma oportunidade? Eu sinto muito meu amigo, mas isso é tão frustrante."

"Eu sei. É mesmo. Me deixe fazer mais algumas ligações e podemos nos encontrar amanhã."

"Tudo bem."

Quando pensei que as coisas não podiam piorar, recebi um telefonema da minha companhia de seguros.

"Richard Gold?

"Sim, é o Richard. Por favor me chame de Ricky. Todo mundo me chama de Ricky."

“Olá. Como o senhor está hoje?”

"Estou bem. Em que posso ajudá-la?”

"Sou Sarah, da Companhia de Seguros Oriental. Queria informá-lo que o senhor tem uma conta de hospital pendente no valor de dez mil dólares.”

"O quê? Como?”

"Houve uma mudança na sua política. Nós não cobrimos mais o hospital onde Jazmine Gold foi internada. Vejo pelos seus registros que ela é a sua esposa.”

"Sim, ela é minha mulher.”

"O senhor deve ter recebido uma carta notificando as alterações na rede.”

"Eu não recebi nenhuma carta.”

"Nós enviamos três cartas.”

"Há alguma coisa que eu possa fazer? Podemos recorrer disso?”

"Posso ver se eles conseguem reduzir o valor. Pela minha experiência, eles se tornaram bastante rigorosos.”

"Qual é o sentido de ter seguro se vocês não cobrem nada.”

"Eu sinto muito, senhor. Tentamos manter todos os nossos clientes a par das mudanças nas suas políticas.”

Desliguei o telefone antes que ela tivesse tempo

de dizer mais alguma coisa. *A minha vida não pode piorar. Como eu vou cuidar dos meus filhos? As coisas continuam a se acumular. O que eu fiz para merecer isso?* Eu pensei.

Talvez tenhamos esquecido alguma carta estúpida. Porém, foi um pouco difícil cuidar de tudo enquanto eu estava na prisão. Estou me afogando e gastando todas as minhas economias tentando pagar as nossas contas. Preciso de um emprego rápido. As coisas não podem continuar assim.

26

"Ricky, como vai? É o Oscar."

"Oi, Oscar. As coisas já estiveram melhores"

"Eu imaginei. Podemos nos encontrar?"

"Pode me encontrar perto do meu antigo escritório daqui a uma hora? Me dói passar pelo edifício, mas precisei dizer aos locatários que não podíamos pagar as despesas. Outro advogado alugou o espaço e está trabalhando nele. Espero que ele tenha mais sorte do que eu."

"Por mim, tudo bem."

Enquanto muitas pessoas, incluindo muitos oficiais da lei, só viam Oscar Cruz como um membro de gangue, eu não o via como o líder "Bofetada". Ao invés disso, o via como um garoto problemático que teve dificuldade para sair da vida de gangue e continuou lutando para sobreviver. Ele não era um santo, mas me tratava com mais respeito do que muitas outras pessoas que conheci na vida.

"Olá! Estou em frente ao café ao lado do meu escritório."

"Te vejo em dois minutos."

"Perfeito", respondi eu.

"Como vai Ricky," disse Oscar enquanto me dava um tapinha nas costas. "Sei que tem sido difícil para você, cara. Vamos andando até o parque. Podemos andar e conversar. Não quero que ninguém nos incomode ou nos ouça no café."

"Faz sentido. Eu sei que a coisa toda com as drogas plantadas em mim foi uma armadilha. A polícia plantou as drogas. Tenho certeza de que eles pressionaram uma das antigas clientes que representei, enquanto era defensor público, a fazer essa declaração. Eu sei que sou inocente. Eu não me importaria muito, mas fui expulso da ordem."

"Como está a sua esposa? Ouvi dizer que você teve gêmeos. Eles estão bem?"

"Ela é fantástica. Tem sido muito forte. Ela quer entrar para a faculdade de direito daqui a um ano. E os garotos estão ótimos. Obrigado por perguntar. Eu só queria que o pai esgotado deles arranjasse emprego."

"Alguma sorte nessa frente?"

"Comecei uma empresa de consultoria com um antigo colega meu do ensino médio, Jason White."

"O professor que esmurrou o reitor?"

"Sim. Ele está no mesmo barco que eu, meu amigo. O cara tem um doutorado em estatística. Ele é um computador humano. Poderia arrumar um emprego ganhando milhões em Wall Street. Mas ninguém vai lhe dar uma oportunidade. Todos pensam que ele é um descontrolado. Ele começou a trabalhar em construção nos fins de semana para ganhar algum dinheiro extra."

"Cara! Isso é horrível. Lamento ouvir isso. É terrível que ninguém te dê uma oportunidade."

"E você?"

"Tenho ficado escondido. Por mais que eu queira sair da vida de gangue, não posso. A liderança vai me matar se eu sequer pensar nisso. Tentei me candidatar a empregos algumas vezes. Ninguém quis me entrevistar. Eles dão um google no meu nome e acham que sou perigoso. Me candidatei a vários programas educacionais e de formação e nenhum deles me aceitou. A vida de gangue é a única maneira de ganhar dinheiro e alimentar o meu filho."

"E se você se mudar para outra cidade ou estado?"

"A mesma coisa. A gangue vai me perseguir e me matar se eu for embora. Estamos ambos em uma situação muito ruim. Ganhei respeito dentro da gangue, mas preciso ser discreto, já que a polícia está de olho em mim. Olha, eu quis me encontrar com você não só para saber como você está, mas também para te pedir um conselho legal."

"Você sabe que eu não sou mais advogado."

"Eu sei. Isso é mais um conselho sobre a lei da rua", disse Oscar, rindo.

"Continue. Sou todo ouvidos."

"Temos tido alguns problemas com carregamentos de drogas. Estamos trabalhando com um novo cartel que faz o transporte para os Estados Unidos e a minha gangue ajuda a vender nas ruas de Nova York. O cartel teve problemas graves. Alguns dos membros foram mortos e a DEA apreendeu alguns dos seus carregamentos. Acho que alguns agentes descobriram que trabalhamos com esse cartel. Talvez eu esteja paranoico, mas quero ter certeza. Quatro dos nossos membros foram presos e acusados de tráfico."

"O que você quer que eu faça, exatamente? Parece um pouco arriscado."

"Precisamos de ajuda. Talvez você possa nos aconselhar por baixo dos panos e nos ajudar a criar estratégias para evitar esses problemas legais? Essa é uma oportunidade única na vida, meu amigo. Nós realmente precisamos de ajuda e você precisa de um emprego. Se trabalharmos juntos, ambos podemos ganhar dinheiro. O objetivo é diminuir as chances de sermos apanhados."

"Isso seria de graça?"

"Não, podemos pagar à sua empresa de consultoria. Talvez o seu professor de estatística possa nos ajudar também. Queremos esconder o dinheiro. Não queremos que seja óbvio. O objetivo aqui é não alertar as autoridades."

"Você vai rir, mas ele publicou sobre gestão de cadeias de suprimentos. Esse cara adora resolver problemas. Quem diria que ele poderia ser um consultor para pessoas na sua área de trabalho? Também precisamos muito do dinheiro. Ninguém quer nos contratar."

"Essa é uma oportunidade. Queremos a sua ajuda para continuar fora da prisão e aumentar os nossos lucros. Preciso de alguém em quem possa confiar. A confiança é a coisa mais importante nesse negócio. E eu confio em você com a minha vida, Ricky."

"Como fazemos tudo acontecer debaixo dos panos?"

"Temos ligações com empresários locais. Nossos parceiros no México trabalham com empresas e também com políticos. Eles podem canalizar o dinheiro e te pagar por serviços de consultoria. Isso é algo que queremos fazer. Há espaço para melhorias e podemos usar a sua ajuda, porque não queremos deixar um rastro de papel."

"Me deixe pensar sobre isso. Eu preciso falar com meu sócio", respondi.

"Pense nisso. E me avise. Seria preciso viajar. O pagamento é bom." Oscar riu.

Liguei para Jason, porque queria avaliar o seu interesse na proposta. "Jason, podemos nos encontrar para um café?"

"Claro. Tudo bem. Que tal daqui a uma hora?"

"Pode ser. Vamos nos encontrar no seu apartamento. Tenho algumas ideias de negócio importantes sobre as quais quero falar com você."

Encontrei Jason no seu apartamento uma hora depois. Ele havia caído mais profundamente na depressão. Parecia que uma bomba havia caído dentro da sua casa.

"Desculpe pela bagunça. Eu tentei fazer uma limpeza."

"Não se preocupe. Está tudo bem."

"Eu falei com um dos meus antigos clientes. Ele me abordou para ajudá-lo em alguns assuntos legais. Por debaixo dos panos, claro, já que eu não posso mais exercer direito."

"Que tipo de assuntos?"

"Ele é membro ativo de uma gangue. O grupo dele tem tido alguns problemas. Alguns membros foram presos. Eles estão tentando cobrir melhor os seus rastros. Além disso, eu disse a ele que estou trabalhando com você em alguns projetos de consultoria. Conheço esse cara há anos e ele confia cegamente em mim. O fornecedor de drogas é do

México. Eles estão expandindo e estudando como podem melhorar as suas operações. Querem ficar fora da prisão e passar para crimes do colarinho branco."

"Eles querem a nossa ajuda para melhorar as operações e prestar serviços jurídicos?"

"Correto. Eles podem nos pagar por serviços de consultoria através de algumas das pequenas empresas que controlam. O objetivo é ajudar a transformar as suas operações criminosas. Precisamos nos certificar de continuar nas sombras. Ficar escondidos, meu amigo."

Jason hesitou por alguns minutos. Ele bebeu um gole de água. Eu realmente me surpreendi com a sua resposta porque esperava que ele me dissesse que precisaríamos ser loucos para fazer aquilo.

"Vamos tentar. A minha vida acabou. Não quero trabalhar em construção. Eu não conseguiria arranjar emprego se a minha vida dependesse disso. O que tenho a perder? Não sou casado e não tenho filhos", respondeu Jason.

"Então, você está dentro?"

"Sim! Vamos fazer isso. Acho que podemos ficar ricos. Não quero que isso seja algo permanente. Quero ganhar dinheiro e sair. Através de investimentos sólidos, podemos nos aposentar daqui a uns anos."

27

Pedro Gómez continuou a se destacar na DEA. Ele adorava estar na linha da frente e ajudar a derrubar os bandidos.

"Johnny, sabe que eu sinto que estamos realmente fazendo a diferença aqui. Me sinto ótimo tirando drogas das ruas."

"Foi por isso que escolhemos essa vida. Talvez você nunca mais queira voltar para os Estados Unidos. Eu sinto como se estivesse viciado – sem trocadilhos – em trabalhar aqui. Vi pessoas incríveis trabalhando para combater as drogas e o crime. A corrupção me afeta, mas eu acho que estamos ajudando os verdadeiros guerreiros na linha de frente a derrubarem os cartéis."

"Você quer comer alguma coisa antes da nossa reunião de equipe?"

"Tacos? Estou morrendo pra comer tacos. Adoro a comida daqui, cara. Engordei cinco quilos desde que vim para cá. Sinto que tudo o que faço é comer. Tenho que entrar com força na academia."

Pedro e Johnny Mandel compraram tacos em um dos seus lugares favoritos na Cidade do México. Pedro não suportava o trânsito pesado da megacidade, então tentou ficar perto de seu escritório e o apartamento que ele havia alugado ficava a apenas poucos quarteirões do trabalho.

"Café?"

"Sim, por favor. Um pouco de leite também. E pode trazer a conta?"

"Sim, senhor. O prazer é meu", disse a garçonete com um sorriso.

"Vamos, Gómez. Esse é por minha conta. Pode ficar com o próximo."

Pedro e Johnny voltaram para o edifício da DEA e entraram na sala de conferências.

"Se não é a dupla do século", disse o líder da equipe.

"Como vai o senhor?"

"Estou ótimo, Pedro. O Johnny está tratando você bem?"

"Senhor, eu sou do sul. A hospitalidade é a nossa especialidade. O senhor sabe disso."

Outros seis agentes entraram na sala e se sentaram.

"Ótimo! Estamos todos aqui. Vocês seis não parecem estar com pressa", disse o líder da equipe, rindo.

"Temos uma grande operação amanhã. Nossos informantes no campo nos avisaram que um grande carregamento está para chegar. Esse novo cartel, Segunda Geração Unida de Sinaloa, ou SGUS, está transportando muitas drogas. Pedro, o que você descobriu sobre esse novo grupo? Falei com as forças especiais e com a polícia federal e eles sabem pouquíssimo sobre eles."

"Senhor, eu tenho falado com o maior número de pessoas possível. Essa organização é nova. As minhas fontes me disseram que eles se separaram do cartel de Sinaloa. Mesmo assim, a polícia e os oficiais da inteligência sabem pouco. O palpite deles é que a divisão ocorreu por causa de brigas por rotas e território de drogas."

"Estão aparecendo cada vez mais cartéis", disse Johnny.

"É engraçado. Eu estava lendo um relatório acadêmico de um laboratório de ideias em Washington. Os autores argumentam que o crime organizado está fragmentado. Eles dizem que isso já aconteceu antes. Os acadêmicos criticam a militarização da guerra contra as drogas por várias razões. Um deles argumenta que usar as forças militares muitas vezes causa fragmentação."

"Quem são os autores?"

"Marten James, da Universidade da Florida, e Sebastián Dias, da Universidade de Nova York."

"Me envie o artigo, por favor. Talvez possamos convidá-los aqui para uma conversa. Francamente, eu acho que alguns desses acadêmicos vivem em uma torre de marfim. Na minha opinião, eles só falam de teoria e metodologia o dia inteiro. Mas já ouvi falar desses dois professores. Assisti uma das suas palestras no comando militar em Miami. Agente Jones, pode contatá-los?"

"Sim, senhor."

"Alguém sabe quem é o líder do cartel? Gostaria de ver um relatório e uma apresentação."

"Nossos informantes estão nos dando algumas informações", disse Johnny. "Nós realmente não sabemos muito sobre essa organização. Eles parecem ser mais sofisticados do que alguns dos outros cartéis."

"Isso é interessante e assustador", disse o líder da equipe. "Quero saber tudo sobre esse novo cartel. Vamos partir em três horas. Nossos informantes dizem que eles estão à espera de um carregamento de heroína do estado de Guerrero. Vamos trabalhar com as forças especiais novamente para invadir um armazém abandonado. Queremos enviar uma mensagem para esses caras. Entendido?"

"Sim, senhor", os outros membros da equipe responderam em uníssono.

A invasão aconteceu às 4h. A equipe apreendeu uma grande quantidade de heroína e vários quilos de cocaína. Apenas quatro membros do cartel estavam no armazém abandonado, e foram levados sob custódia sem tiros disparados.

28

"Gostaria de beber alguma coisa, senhor?"

"Água, por favor."

"Alguma coisa para o senhor?"

Jason estava olhando pela janela do avião.

Bati no ombro de Jason e disse: "Jason, você quer beber alguma coisa?"

"Desculpe! Sim, água, por favor", respondeu Jason.

Oscar havia combinado um encontro com Gabriel "Gordo" Osorio. Ele queria se encontrar conosco pessoalmente e falar sobre o nosso acordo. Oscar se responsabilizou por mim e disse que eu tinha toda a sua confiança. Ele explicou a Gordo que não tínhamos nada a perder.

"A sociedade virou as costas para esses caras. Ninguém quer saber deles. Sabe quem é perigoso?

Pessoas que não têm nada a perder e que já não se importam. Gordo, você sabe disso melhor do que ninguém."

"Eu confio em você, Oscar. Mande esses dois gringos para cá e vamos nos encontrar pessoalmente. Quero falar com eles sobre o nosso futuro."

Chegamos em Sinaloa. Fomos recebidos no aeroporto por um motorista que dirigiu por três horas montanha adentro.

"De onde vocês são, gringos?"

"Nova York."

"É a primeira vez de vocês no México?"

"É a minha primeira vez", respondeu Jason.

Jason mostrou seu lado profissional comprando três livros sobre o México e outros dois livros pesados sobre como falar espanhol. Ele havia estudado espanhol no ensino médio. Já havia muito tempo que não falava a língua. Agora, ele ficaria feliz se pudesse pedir o jantar sem que o garçom o encarasse e se perguntasse o que diabos ele estava dizendo.

"Onde você aprendeu espanhol? Estou impressionado", perguntou o motorista.

"Tive aulas na faculdade. A minha mulher é de Porto Rico. Ela me corrige."

"Você fala muito bem."

"Obrigado! Faço o que posso," eu ri.

Chegamos ao nosso destino nas montanhas de

Sinaloa. De repente, três homens armados saíram e se aproximaram do carro.

"Tudo bem, cara? Como vão as coisas?"

"Tudo bem. Esses gringos estão aqui para se encontrar com El Gordo", disse o motorista.

Um dos homens armados parecia a versão mexicana do Rambo. Ele estava usando uma camisa sem mangas, que mostrava seus músculos fortes e calças camufladas. Além disso, usava um lenço vermelho amarrado em volta da cabeça.

"Ricky, aquilo são granadas?"

"Acredito que sim."

A versão mexicana do Rambo tinha o apelido de "O Gladiador", já que parecia um verdadeiro guerreiro. Seu cinto largo segurava três granadas. O Gladiador colocou uma AK-47 por cima do ombro e apontou para mim.

"Vocês são policiais, gringos?"

Eu pensei que iria ter um ataque cardíaco.

"Não! Não somos policiais, caramba. Eu prometo."

"Não minta para mim gringo", gritou o Gladiador.

Ele largou a arma e começou a rir.

"Estou brincando. Gordo me disse que vocês vinham."

Eu respirei fundo.

"Você pegou a gente."

Jason começou a ficar vermelho vivo.

"Jason, não se esqueça de respirar."

Ele respirou fundo e limpou o suor da sobrancelha.

"Até logo, rapazes. Bem-vindos a Sinaloa", disse o Gladiador.

O motorista dirigiu até um armazém localizado no lado de uma montanha. As árvores cobriam a construção, tornando difícil de localizá-la do alto.

Saímos do carro e nos aproximamos das portas.

Dois homens armados com máscaras de esqui se aproximaram.

"O Gordo está lá dentro. Desliguem os celulares. Estão armados?"

"Não, senhor. Não temos armas", respondi rapidamente.

"Bom. Passem pelas portas. O escritório dele é o primeiro à esquerda."

Abrimos as portas e vimos um arsenal de armas. Eu nunca havia visto tantas armas na minha vida.

"Parece que eles estão se preparando para invadir a Polônia", me disse Jason.

Chegamos ao escritório do Gordo. Havia três monitores grandes e uma estante cheia de livros acadêmicos. O escritório parecia pertencer a um gestor de fundos. Gordo veio nos cumprimentar. Ele era um homem magro com o cabelo preto escuro.

Estava bem-vestido porque queria transmitir aos clientes que era um verdadeiro profissional.

"Cavalheiros, como estão? Sou Gabriel, mas todos me chamam de Gordo. É um apelido de infância."

"Prazer em conhecê-lo", respondemos.

"Café? Água?"

"Água seria ótimo."

"Como foi a viagem? É primeira vez de vocês no México?"

"Já estive no México antes, mas nunca em Sinaloa. É a primeira vez do Jason no país."

"Bem-vindo! O México é um país lindo. Sentem-se. Quero falar de negócios. Oscar Cruz me explicou a situação de vocês. Lamento que as suas vidas tenham tomado esse rumo. Parece que vocês não têm nada a perder e não conseguiriam um emprego no mundo real se a vida de vocês dependesse disso."

"Isso é verdade. Triste, mas é verdade. Decidimos abrir uma empresa de consultoria, já que ninguém quer falar conosco, quanto menos nos contratar."

"Oscar Cruz disse que confia em você com a própria vida, Ricky. Oscar e eu trabalhamos juntos há muito tempo. Vou ser muito direto. Eu trabalhava para o cartel de Sinaloa. O cartel opera com base em um sistema de franquia. Fornecemos heroína e cocaína ao Oscar e a MS-13 nos ajudou a vender as drogas. A MS-13 é nossa subcontratada. Não trabalhamos com a gangue da Rua 18, eles são arqui-inimigos da MS-13."

"O Oscar me contou um pouco. Como podemos ajudá-lo?"

"O crime organizado está mudando. Deixei o cartel de Sinaloa com mais trinta pessoas. Queremos expandir as nossas operações. Temos vários contadores e especialistas em finanças. No entanto, eu quero melhorar a nossa capacidade cerebral. Precisamos de pessoas que sejam boas com tecnologia. Ricky, eu quero que você lidere a equipe jurídica. Acredite ou não, estudei direito, mas nunca me formei. Eu quero que sejamos mais espertos do que as outras organizações criminosas. Toda a cocaína que recebemos é da Colômbia e há oportunidades de expandir para a Colômbia e América Central. Mas não vamos produzir a nossa própria cocaína. Peru, Colômbia e Bolívia produzem coca, a folha necessária para produzir cocaína. A Colômbia fornece noventa por cento da cocaína que chega aos Estados Unidos."

Jason estava impressionado com como Gordo conseguia citar todas as estatísticas. Ele conhecia o negócio como a palma da mão e tinha uma visão clara de como ser bem-sucedido.

"Ricky e Jason, preciso que saibam que a expansão requer que sejam criadas alianças com outros cartéis. Fizemos um acordo com os Zetas, no qual não invadiremos o território deles. O cartel da Nova Geração de Jalisco criou muitos problemas para nós porque estão expandindo para fora de Jalisco", afirmou Gordo.

"Eu também me cansei de receber ordens do meu chefe", disse Jason, rindo.

"Nós não estávamos apenas cansados de receber ordens da liderança do cartel de Sinaloa, mas temos um modelo diferente para criar a próxima geração de narcotráfico e crime organizado. Vocês sabem qual é o nosso objetivo?"

"Fazer dinheiro."

"Claro! Vocês sabem o que resulta de alguém sendo morto ou preso?"

"Ser capturado", respondeu Jason.

"Exatamente. A violência é ruim para os negócios. O governo mexicano enviou os militares. Os cartéis não só lutam entre si, como também precisamos combater os militares. O governo pode tolerar o narcotráfico e o crime organizado, mas quer reduzir a violência. Os Zetas foram duramente atingidos pelo governo porque são muito violentos."

"Faz sentido", respondi eu.

"Sabem o que mais é ruim para os negócios?"

"Ser muito conhecido? Esse é o meu palpite", disse Jason.

"Ricky, onde estão os líderes da máfia nos Estados Unidos hoje?"

Senti como se estivesse em uma aula de ciências políticas em Hofstra. Gordo tinha o dom da palavra. Ele era muito analítico e teria sido um bom advogado.

"Eles estão mortos ou na prisão", respondi.

"Exatamente! Obviamente, o cartel precisa de músculo. Mas eu quero os cérebros da operação vivendo em casas normais e dirigindo carros comuns. Queremos passar despercebidos. Joaquín Cabrera foi pego porque se descuidou e fez contado com celebridades nos Estados Unidos e no México. Ele se esqueceu que era o traficante de drogas mais procurado do mundo. A nossa nova revolução estará na capacidade de nos misturar. Esse é um dos problemas que temos com o MS-13 na América Central e até mesmo em Nova York. Eles não sabem se misturar."

"Passar despercebido é o caminho a seguir", disse Jason.

"Exatamente. Vamos trabalhar com empresas do colarinho branco e viver em bairros de classe média. As duas últimas administrações do México queriam matar todos os chefões. Não precisamos de festas chiques, correntes de ouro e estilos de vida luxuosos. Viver como um chefão das drogas resulta em morte precoce ou prisão. Essa é a nossa revolução criminosa, cavalheiros. Precisamos ser mais espertos do que os outros cartéis. Alguns desses caras são espertos, mas outros não têm bom senso. Eles só querem matar todos os seus inimigos. Isso pode ajudar a curto prazo, mas a longo prazo estaremos todos mortos.

"Parece uma estratégia brilhante", disse Jason.

"Então, como podemos ajudar?"

"Queremos revolucionar as nossas operações. Queremos não apenas diversificar as nossas atividades criminosas, mas também fazer um trabalho melhor escondendo o nosso dinheiro no exterior. Jason, eu entendo que você é um professor de estatística e especialista em resolução de problemas. Na verdade, até li alguns dos seus artigos sobre gestão de cadeias de abastecimento."

"Sério? Poucas pessoas leem artigos acadêmicos sobre estatística. Sou especialista em colocar as pessoas para dormir. Eu poderia ter ganho o Prêmio Nobel se eles premiassem os artigos que colocam a maior quantidade de pessoas para dormir." Ele riu.

Jason estava impressionado com Gordo, visto que ele era falava muito bem e era altamente inteligente.

"Recentemente tivemos alguns carregamentos apreendidos durante uma operação. A DEA e as forças especiais prenderam vários tenentes. O cartel precisa fazer essa transição rapidamente. O velho modelo de fazer negócios precisa mudar. Precisamos melhorar a nossa cadeia de abastecimento. Também queremos aumentar os nossos investimentos em empresas legítimas."

"Faz todo o sentido. Vocês precisam diversificar."

"Vocês podem nos ajudar com isso?"

Jason e eu nos olhamos e concordamos com a cabeça.

"Sim, acreditamos que podemos ajudar. Eu tenho conhecimentos jurídicos que posso aplicar. Acho que o que você precisa fazer é começar a lavar dinheiro e esconder a sua empresa em empresas fantasmas. A maioria das empresas fantasmas são legítimas, mas se você tem vinte dessas empresas fica mais difícil para o governo conseguir te pegar. Também pode investir o seu dinheiro em negócios legítimos. O que você acha, Jason?"

"Eu concordo", respondeu ele. "Também posso usar análise de dados para determinar as melhores rotas de abastecimento para o transporte das drogas. Além disso, podemos ajudar você a desenvolver um plano de negócios para diversificar o seu portfólio."

"Eu confio no Oscar e é por isso que estou sendo tão honesto com vocês. Gostaria de pagar para serem consultores em tempo integral. Toda a nossa comunicação, enquanto estiverem nos Estados Unidos, deve ser encriptada. Jason, você tem habilidades em programação de computadores? Queremos começar a movimentar drogas através da internet, particularmente pela *dark web*. Quero contratar mais alguns programadores. No momento, tenho dois trabalhando para mim."

"Sim. Eu tenho meu doutorado em estatística e precisei pagar várias aulas de programação. Comecei a estudar um pouco sobre inteligência artificial nos últimos anos. Conheço vários programas que são bons para criptografia e IA."

"Excelente. Também quero que vocês saibam que nos envolvemos com políticos e funcionários do governo. Manuel Aguayo foi eleito presidente. Precisamos desenvolver uma estratégia para abordar o seu governo. Ele assume o cargo oficialmente em cinco meses. Sei que ele é corrupto e está disposto a fazer acordos. Só precisamos encontrar o momento certo e os pontos de acesso. Frequentei a escola com alguém que está sendo considerado para ser o seu conselheiro de segurança. Assim, podemos ter uma ligação interna."

"Quando você quer que a gente comece?"

"Imediatamente. Quero que vocês desenvolvam um plano de negócios. Quero criar várias empresas de fachada ao redor do mundo. Vocês podem me ajudar com isso?"

"Sim. Podemos criar uma empresa fantasma em Delaware em poucos minutos. Vamos fazer uma pesquisa sobre onde montar os outros negócios. Acho que no Panamá ou nas Ilhas Virgens.”

"Excelente, meu contador pode fornecer as informações", respondeu Gordo. "Jason, quero que você analise as nossas contas atuais e os nossos carregamentos. Quero que você me ajude a determinar onde devemos dobrar. Vamos passar mais para o tráfico de opioides. O nosso cartel está operando em Guerrero. Já ouviu falar em Acapulco?”

"Claro", respondi.

"Hoje, infelizmente, é uma das cidades mais violentas do México. Queremos criar uma aliança com o cartel de Acapulco e vamos avançar não só no tráfico de opioides, mas também na plantação da papoula do ópio e a sua refinação em heroína.”

"Eu não sabia disso", disse Jason. "Parece uma boa ideia.”

"Queremos ficar ricos. Preciso que me ajudem a levar a minha organização para o próximo nível. Todos podemos ganhar muito dinheiro", afirmou Gordo.

"Parece ótimo.”

"Também preciso que vocês trabalhem com a MS-13 em Nova York. Eles operam somente nas ruas, mas estão tendo alguns problemas. O Oscar pode explicar isso mais detalhadamente. A MS-13 vai pagar vocês da parte deles dos lucros e nós vamos pagar da nossa quota. Somos organizações diferentes e eu não quero misturar a cor do dinheiro. Essa é uma das primeiras lições do crime organizado, cavalheiros."

"Nós entendemos."

"Uma última coisa. A lealdade é tudo nesse negócio. Se vocês me traírem, eu mato os dois. Só quero que saibam disso", enfatizou Gordo.

"Sim, senhor. Nós entendemos. Queremos enriquecer juntos. Também acreditamos em lealdade. Sabemos o que é deslealdade, já que todos os nossos chamados 'amigos' nos apunhalaram pelas costas depois que fomos presos. Não temos nada a perder. Que se lixe o sistema. Estamos prontos para começar a ganhar dinheiro."

Gordo nos mostrou a fábrica. Ele tinha vários escritórios repletos de câmeras e sistemas de segurança. Em um dos outros escritórios, dois jovens teclavam em laptops de última geração. Eles pareciam analistas de cibersegurança da CIA.

"Pablo, quero que conheça dois dos nossos consultores. Jason, eu dei ao Pablo alguns dos seus artigos sobre *big data* e aprendizagem de máquinas. O Professor White será o nosso guru de estatística e o Ricky será o nosso advogado do cartel."

"Muito prazer. Gostei muito do seu trabalho, especialmente dos artigos que você co-escreveu com o professor Stein."

"Muito obrigado."

"Eu acho que podemos aplicar alguns dos conceitos aqui para ajudar o cartel a evitar problemas em potencial."

"Fantástico! Vou mergulhar no material e ver o que podemos fazer para melhorar a infraestrutura. Entrei para estatística porque gostava de resolver problemas do mundo real. Eu não queria ficar sentado e resolver problemas de matemática o dia todo. Queria usar dados para entender o mundo", disse Jason, que ainda estava chateado por não ter sido empossado. "Eu não consegui o cargo porque eles disseram que a minha pesquisa não era focada o suficiente, mas eu sou bom em resolver problemas complexos."

Gordo interrompeu, "Bem-vindo ao lado negro. Precisamos de solucionadores de problemas e não damos a mínima se você não fica em uma só área de pesquisa."

"Me parece ótimo." Jason riu.

"Ouçam pessoal, vamos nos manter em contato durante a próxima semana. Vou pedir à minha equipe para passar as informações. Vamos conversar através de uma rede segura nos próximos cinco dias depois que vocês estiverem familiarizados com os nossos problemas e operações. Vocês vão analisar o plano de negócios e as propostas à medida que trabalham e nós podemos desenvolver um esquema sólido para vencer as autoridades."

“Excelente.”

"Quinze mil é suficiente para vocês começarem?”

Jason me olhou com um olhar de surpresa.

"Vocês não perdem tempo para tratar de negócios", respondi eu.

"Vamos pagar vocês através da Companhia de Pneus do Pablo. É uma empresa fantasma. O primo de um dos nossos associados gerencia o negócio. Ele recebe 10% e nós vamos pagar por quarenta horas de serviços de consultoria de gestão de cadeias de suprimentos. Também vamos enviar o dinheiro pela Rodriguez e Associados, que é uma pequena firma de advogados. Eles ficam com 15%. Eles vão escrever um cheque para fins de auditoria. Nunca vamos pagar mais de dez mil por vez de uma única empresa para fins de auditoria. Não queremos levantar suspeitas ou alertar a Receita.”

"Vocês não brincam", disse Jason.

"De jeito nenhum. Estamos falando sério sobre ficar fora da prisão e só queremos ganhar dinheiro.”

"Nós também," respondi eu.

"Senhores, quero que levem esses dois celulares. Eu tenho vários. Sempre nos comunicamos através de linhas seguras. Vou avisar quando devem se livrar deles. Não queremos agentes da DEA ouvindo as nossas conversas. Alguma pergunta?”

"Devemos montar um escritório em Nova York?”

"Acho que é uma boa ideia. Também quero que

pensem em outros negócios legítimos que possamos usar para lavar dinheiro. Eu tenho três passaportes e pretendo viajar para Nova York ou Miami algumas vezes por mês. Vou conectar vocês aos meus associados. Também queremos que vocês venham até aqui. Pode ajudar a melhorar a nossa influência com alguns políticos corruptos da região se mostrarmos que temos um doutor em estatística e um advogado de defesa na nossa equipe", disse Gordo, enquanto apertava as nossas mãos.

"Perfeito", disse Jason.

"Estamos animados para trabalhar com vocês", respondi.

"Excelente, cavalheiros. Vamos fazer vocês muito ricos. Aproveitem a viagem de volta. No futuro, podemos voar em jatos privados, mas, por agora, quero que as coisas pareçam o mais normais possível."

29

JASON E EU ESTÁVAMOS TRABALHANDO DURO NO NOSSO novo negócio. Eu odiava mentir para a minha mulher e disse a ela que havíamos recebido alguns contratos de consultoria de pequenas empresas e partidos políticos. Jason e eu trabalhávamos do nosso novo escritório no Upper West Side.

Nos esforçamos bastante e fizemos setenta mil durante os primeiros três meses. Jason lia um livro por dia sobre uma série de tópicos, de empresas fantasmas à mais recente pesquisa sobre gestão de cadeia de suprimentos.

"Ricky, vem cá, por favor. Preciso te mostrar uma coisa."

Eu entrei no seu escritório. Ele tinha três monitores e uma pilha enorme de papéis empilhados sobre a mesa. Jason ajustou os óculos.

"Eu tenho usado SIG para mapear todas as apreensões que ocorreram no México nos últimos seis meses", disse ele.

O mapa revelou que as rotas estavam concentradas em Tijuana, Ciudad Juárez e Tamaulipas, que são todos estados de fronteiras.

"O quê? Isso é incrível. Como você fez isso?"

"Eu estudei SIG durante um verão", respondeu Jason.

"Pergunta rápida: O que é SIG?"

"Significa Sistema de Informação Geográfica. Ele ajuda a armazenar e capturar dados. Os dados que eu estou usando são baseados em apreensões do governo por autoridades americanas e mexicanas. Ricky, o que esse mapa te mostra?"

"Que essas três fronteiras estaduais têm sido o foco", respondi.

"Exatamente. Tijuana fica a uma curta distância de San Diego. Ciudad Juárez fica ao lado de El Paso, Texas. Finalmente, Tamaulipas é muito perto de Brownsville e McAllen, também no Texas. O maior número de apreensões ocorreu em Nogales, que não fica muito longe de Tucson, Arizona. A fronteira com Coahuila e Nuevo Leon teve mais apreensões," disse Jason com entusiasmo.

"Isso é incrível. As suas habilidades com dados me assustam."

"E tem mais. Tambores, por favor, " disse Jason

enquanto começava a rir. "Eu também mapeei tendências de violência. O mapa mostra que a violência aumentou nessas áreas."

"Jason, quais são as principais causas da violência? Brigas por território?"

"Sim, brigas por território são um dos principais contribuintes para os níveis de violência. Eu tenho usado algumas técnicas de *big data* para rastrear dados sobre as ocorrências. Vi que alguns professores de ciências sociais fizeram isso em outros países da América Latina, com assuntos diferentes. Alguns deles usaram jornais para tentar mapear tendências em violência. Eu criei um banco de dados de ocorrências. Criei um programa de computador que está puxando dados de artigos de jornais ao redor dos Estados Unidos e México. Levei literalmente uma semana para construir uma base de dados."

"Isso é incrível", exclamei.

"Eu criei vários mapas que mostram onde militares foram enviados. A resposta do governo tem sido enviar militares. Será interessante ver o que a nova administração vai fazer quando tomar posse. Quero enviar ao Gordo várias opções para onde levar as drogas. Acho que devemos diversificar as rotas. Deixar que os outros grandes cartéis lutem por território."

Oscar queria gerir o cartel com base em dados.

Ele acreditava que os dados podiam ajudá-lo a superar outros criminosos. Jason era o cara perfeito para isso. A cada dois dias ele enviava a Gordo um pequeno novo relatório com a análise de dados atualizada.

"O Gordo me disse que está adorando a sua análise de dados. Entendo o porquê."

"Isso é só o começo. Quero definir como melhorar a cadeia de abastecimento. Até agora, tenho gastado o meu tempo tentando determinar o cenário do tráfico de drogas e do crime organizado no México. Preciso ir mais a fundo na cadeia de abastecimento."

"Você mapeou os cartéis?"

"Eu usei as mesmas técnicas de dados de ocorrências para determinar onde membros de cartéis foram capturados ou mortos. Também li alguns relatórios do governo. Até agora, isso é o que eu tenho."

Jason puxou um mapa no seu computador.

"Minha nossa! É óbvio que existem três grandes cartéis. Alguns dos outros cartéis menores são proeminentes em certas regiões. O mais difícil de localizar são as células criminosas menores e as gangues. Encontrei pelo menos duzentos células criminosas. Em termos de grandes cartéis, o mapa mostra catorze grandes organizações."

"O que eu faria sem você?"

"Como estão as coisas no seu lado?"

"Ainda estou trabalhando criando várias empresas fantasmas."

Os Estados Unidos têm muitas brechas em relação à criação de empresas de fachada. Embora uma grande maioria seja utilizada para fins legítimos, essas empresas fazem com que seja muito difícil localizar os proprietários.

"Sabia que uma pessoa criou uma empresa fantasma em nome do seu gato de estimação? Um casal de velhinhos não pediu a ela um único documento. Estados como Delaware tornam muito fácil a criação de empresas de fachada e têm pouco ou nenhum regulamento."

"Sério? Isso é hilário", respondeu Jason.

"Você leu o artigo, a uns anos atrás, sobre quem são os donos de quais edifícios em Manhattan?"

"Não me lembro."

"Basicamente, os jornalistas tentaram descobrir o dono de um edifício. Encontraram 15 empresas fantasmas e um monte de caixas de correio. É isso que vamos fazer."

"Isso realmente torna muito mais difícil de localizar."

"Sem dúvida! Eu tenho um plano completo. Estou trabalhando com um advogado das Ilhas Virgens. Tenho outro contato no Panamá. Precisamos ter um pouco mais de cuidado no Panamá." O escândalo dos Documentos do Panamá revelou que muitos membros da elite mundial, assim como do submundo do crime, escondem seu dinheiro no Panamá, através de uma firma de advocacia que opera lá.

"As regras são mais duras no Panamá?"

"Eu não acho que nada realmente mudou. A principal diferença é que as firmas de advocacia ficaram mais inteligentes. Elas não estão trabalhando com milhares de empresas de fachada. Reduzir as operações e trabalhar com empresas nas Ilhas Virgens e também na Suíça deixou mais fácil se manter fora do radar."

"Vamos continuar trabalhando."

"Estou pronto para ganhar alguns milhões. Podemos nos aposentar ainda jovens em uma praia na América Latina."

"Vivendo o sonho!"

30

O PRESIDENTE MANUEL AGUAYO, DO PARTIDO Revolucionário Popular, tomou posse em dezembro. O candidato de quarenta e um anos havia sido um membro do Partido Institucional dos Trabalhadores, mas saiu e decidiu formar seu próprio partido político. Ele era conhecido por seu apelo populista, tendo prometido lutar pelos trabalhadores do México e derrubar grandes corporações.

Aguayo nasceu em Tijuana, filho de pais que trabalhavam em uma fábrica. Ele se tornou advogado e trabalhou como ativista. Ele nasceu para a política. Sempre adorou fazer discursos e seu treinamento jurídico o ajudou a persuadir outros com suas ideias. Aguayo se tornou governador do estado de Baixa Califórnia aos trinta e cinco anos de idade. Ele assumiu o cargo como um idealista e queria fazer mudanças drásticas. Fez inimigos dentro do Partido Institucional dos Trabalhadores, quando começou a agitar as coisas e a lutar contra a máquina política. O partido estava no poder há sete décadas e funcionava como uma máquina política.

Aguayo queria revolucionar a Baixa Califórnia e melhorar Tijuana, uma cidade fronteiriça que vinha sendo atormentada pelo aumento nos níveis de violência e crime. Aguayo irritou a elite empresarial de Tijuana quando apoiou o aumento de impostos em vinte por cento, para ajudar a combater a pobreza nas zonas marginalizadas da cidade. Aguayo também irritou alguns dos chefões das drogas depois que enviou a polícia para várias zonas da cidade que eram controladas pelos traficantes. Os governadores anteriores haviam feito acordos com os traficantes. Os críticos de Aguayo argumentaram que ele havia aceitado subornos do cartel de Tijuana, mas eles não tinham provas.

Aguayo adorava viajar pelo México e era conhecido por entrar nos bairros mais perigosos sem guarda-costas. Ele anunciou a sua candidatura a presidente em frente a três mil pessoas em uma favela, no alto de uma colina nos arredores da Cidade do México.

"Precisamos de líderes que não sejam corruptos. Estou farto da mesma coisa no México. Quero viver em um país que cuida de toda a sua gente, não apenas dos super ricos. Eu quero viver em um México onde os corruptos vão para a prisão, em vez de se tornarem milionários", proclamou Aguayo.

"Isso mesmo", gritou o povo.

"Chega de corrupção. Precisamos investir em educação. Precisamos investir em vocês, nas pessoas. Gastamos tanto dinheiro no exército e na polícia. O nosso governo tem que investir nas escolas. Não me interessa de onde você é no México, eu quero que todas as crianças e jovens tenham a oportunidade de ir à escola. Ser pobre não é crime. Precisamos parar de criminalizar a pobreza."

"Isso mesmo! Precisamos de mudança", gritou o povo.

"Quero anunciar, aqui mesmo, que vou concorrer à presidência. Prometo que lutarei por um México melhor. Hoje as pessoas me perguntaram se eu estava com medo de vir a esse bairro. Me disseram que é uma zona de crime conhecida por violência ligada às drogas. Adoro o México e o nosso povo. É uma honra estar aqui. Não tenho nada a temer com os meus irmãos e irmãs. Eu disse a todos que aqueles de nós que lutam pela justiça e pela igualdade não têm nada a temer."

A multidão começou a cantar: "Aguayo. Aguayo. Aguayo."

"Vocês estão cansados do tráfico de drogas e do crime organizado? Estão cansados da violência?"

"Sim", gritou a multidão.

"Não percam a fé. O México é um grande país. Estamos destinados a grandes coisas. Mas precisamos de uma nova liderança. Não podemos ter a velha máfia política no comando. Certo?"

"Isso mesmo", gritou a multidão.

"Vamos transformar o México. Se vocês acreditam na minha mensagem, votem em mim. Se querem ver a velha guarda deixar o poder, votem em mim. Se estão cansados de corrupção e máfias políticas, votem em mim."

Aguayo ganhou a presidência com folga. Além disso, o seu partido ganhou o controle do Senado e da Câmara dos Deputados. O partido de Aguayo também dominou as eleições estaduais e locais. Essa vitória representou a rejeição da política anterior. O último presidente deixou o cargo com uma aprovação ao redor dos onze por cento. As pesquisas mostraram que os mexicanos desconfiavam dos políticos e acreditavam que a corrupção havia piorado ao longo do tempo. Os dados também revelaram que as pessoas se sentiam mais inseguras.

Aguayo assumiu o cargo em dezembro, pronto para mudar as coisas no México. Ele prometeu diminuir a fraude e a corrupção e disse que mudaria a estratégia de segurança, uma vez que as políticas fracassadas dos presidentes anteriores aumentaram o crime e a violência.

"Os banqueiros corruptos não vão ficar muito felizes comigo", disse Aguayo aos jornalistas, durante sua primeira conferência de imprensa. "Vou processar todas as fraudes. Precisamos reduzir a corrupção e a impunidade. Um estudo mostra que a impunidade atingiu 98% no México. Como é possível termos uma taxa de impunidade tão elevada, em um país tão grande?"

Os repórteres começaram a gritar perguntas.

"Presidente Aguayo, o senhor vai processar os presidentes anteriores?"

"Presidente Aguayo, o senhor vai trabalhar com os Estados Unidos?"

"Como o senhor vai diminuir a pobreza?"

"Um de cada vez, senhoras e senhores," respondeu o presidente Aguayo. "A Procuradoria-Geral está investigando vários casos. Não me vou intrometer, porque quero que essa presidência permaneça independente. Durante muito tempo, os políticos se envolveram no setor da justiça e ameaçaram procuradores e juízes. Não sou uma pessoa vingativa, mas estamos tentando transformar o México. Essa é uma revolução política e eu vou levar a cabo o que o povo deseja. Vocês sabem o que eles querem? Querem justiça. Querem empregos. O povo mexicano quer viver em paz. Eles querem ser capazes de levar seus filhos para a escola sem ter que se preocupar se eles serão mortos por um traficante vendendo drogas na esquina. Querem que os mexicanos trabalhadores avancem."

Outro repórter perguntou: "Sr. Presidente, como o senhor vai reduzir o crime e a violência? O senhor criticou os dois últimos presidentes pela guerra contra as drogas. Vai lançar uma guerra contra as drogas?"

"Não vou enviar os militares para as ruas. Os dois últimos presidentes fizeram com que o México sofresse muito. O último presidente não só foi o mais corrupto da história do México, como eu herdei um país que é mais violento hoje do que tem sido em mais de vinte anos. Vou cuidar do desemprego. Vou processar aqueles que violam as leis."

Outro repórter perguntou: "O senhor estaria disposto a negociar com traficantes de drogas?"

"Não! Quero que os traficantes saibam que o seu tempo chegou ao fim."

"Sr. Presidente, quando vai divulgar o seu plano de segurança? Como pretende diminuir a violência? O México é hoje mais violento do que tem sido em mais de vinte anos."

"Essa é uma ótima questão. Obrigado por perguntar", respondeu Aguayo. Ele continuou: "Nos próximos meses, vou divulgar um plano de segurança abrangente. Vamos reduzir a violência fortalecendo a polícia e abordando as causas estruturais fundamentais. Essas mudanças serão difíceis, mas não acontecerão em um ano. Vocês sabem que há milhões de jovens no México que não trabalham e nem estudam? Essas crianças são manipuladas e recrutadas pelas gangues e cartéis de drogas. Precisamos manter esses jovens na escola e fora das ruas."

"Sr. Presidente, Sr. Presidente", gritou a multidão de jornalistas.

"Preciso trabalhar para o povo do México. Vejo vocês amanhã e respondo a mais perguntas. Obrigado."

O primeiro mês de mandato do presidente Aguayo viu aumentar o número de homicídios. O número de sequestros diminuiu nas duas primeiras semanas, mas depois disparou trinta por cento.

"As pessoas querem ver mudanças rapidamente. Não posso deixar que as manchetes tenham histórias sobre violência relacionada com drogas todos os dias."

"Sr. Presidente, essas coisas levam tempo", disse o principal conselheiro de Aguayo.

"Eu sei. Vamos divulgar o nosso plano de políticas. O chefe da polícia e os generais me dizem que os traficantes estão lutando por território. Eu fiz campanha contra o destacamento militar, mas as pessoas querem ver ação."

O telefone tocou.

"Senhor, o General Rojas está ao telefone."

"Passe para mim, por favor."

"Senhor, temos um problema. Nós temos informações de que um dos principais líderes do cartel Nova Geração foi avistado fora de Guadalajara. Temos unidades militares em espera. Estamos atrás dele há quatro anos, desde que fugiu da prisão. O senhor quer que o capturemos?"

"Onde ele está?"

"Nós o avistamos perto de um bairro de classe média, fora da cidade. Acreditamos que ele está visitando a namorada."

"Você tem certeza de que é ele?"

"Sim, temos certeza. Precisamos ser rápidos se quisermos capturá-lo."

"Essa precisa ser uma operação cirúrgica. Não posso ter problemas. Os gringos estão a bordo?"

"Sim, senhor. A DEA tem trabalhado conosco. A troca de inteligência nos ajudou a localizá-lo."

"Queremos que isso seja uma operação conjunta. Me avise quando ele for capturado. Isso será uma vitória para o México."

31

"AGENTE GÓMEZ, PRECISO QUE VOCÊ, E O GAROTO Johnny, acompanhem as forças especiais Mexicanas. Você tem contato com o nosso cara no campo?"

"Sim, chefe. Eu confio nele. Ele sempre entregou o que prometeu."

"Preciso que você e o Johnny aqui, vão com os nossos colegas. Precisamos dessa vitória. Queremos mostrar aos políticos de Washington o que a DEA está fazendo com os dólares dos contribuintes americanos. Eles querem cortar o nosso orçamento. Caramba, alguns ativistas querem nos eliminar."

"Sim, senhor."

"Mal posso esperar para publicar que capturamos esse chefão das drogas. Se certifique de que os nossos colegas mexicanos se lembrem de quem lhes forneceu as informações do campo. A inteligência ajuda a salvar vidas e pode ser mais eficaz do que os helicópteros que o Departamento de Defesa dá aos militares mexicanos."

"Vamos deixar a DEA orgulhosa, senhor."

Pedro e Johnny, no entanto, não faziam ideia de onde estavam se metendo. Pedro Pérez Sosa, conhecido como o "Vice Príncipe", havia subido os escalões do cartel Nova Geração. Ele desertou do exército e usou o seu treinamento para torturar e matar rivais do cartel.

"Ele está na casa. Nós o vimos", disse um soldado.

Pedro e Johnny se posicionaram. Eles não podiam fazer a prisão porque estavam em solo mexicano, mas ajudavam durante essas operações e trabalhavam de perto.

"Cara, eu queria poder algemá-lo", proclamou Johnny.

O governo mexicano tinha altos níveis de nacionalismo. Alguns políticos protestaram contra o imperialismo norte-americano e lembraram à sociedade que o México e os Estados Unidos lutaram duas guerras. Enquanto alguns outros políticos deram as boas-vindas à DEA, também deixaram claro que eles estavam aqui para apoiar e não tomar as decisões.

Cercar um chefão durante o dia é arriscado. O presidente Aguayo estava de prontidão e reconheceu que essas oportunidades não surgem todos os dias.

"Estamos em posição? Espero que sim", ladrou o general mexicano responsável pela operação.

"Sim, senhor! Criamos um perímetro em volta da residência."

O helicóptero pairava acima e sete vans grandes bloqueavam as ruas.

"Vamos. Vai! Vai! Vai!"

Vinte soldados entraram na casa.

"Pérez Sosa, sabemos que você está aqui."

Os soldados começaram a procurar por ele.

"Mãos para cima", um soldado gritou para uma mulher que chorava histericamente.

"Onde ele está? Sabemos que ele está aqui."

De repente, um lança-granadas atingiu o helicóptero e ele caiu.

"Pedro, o que diabos foi aquilo?"

"Não faço ideia." Johnny sacou a arma. Ele queria se envolver na ação, mas não podia usar sua arma em solo estrangeiro. Johnny pegou o rádio. "General, o que está acontecendo? Precisa de ajuda?"

"- 47 saíram da três. Fomos emboscados. Protejam-se."

Os soldados acharam que Pérez Sosa tinha vindo sozinho, mas estavam errados. Ele nunca viajava sozinho. Vinte homens armados com rifles AK-

47 começaram a disparar. Um homem lançou outra granada que atingiu uma das vans do governo.

"Estamos sendo atacados. Precisamos de reforços", disse o general responsável pela operação.

Pérez Sosa estava escondido no sótão. Os membros do cartel se aproximaram da casa e mataram cinco soldados. Um homem apontou o lança-granadas contra eles.

"Mãos pro alto", gritou ele.

Pérez Sosa assustou os soldados quando saltou para do sótão ao chão.

"Se vocês não me deixarem ir, vamos matar todo mundo aqui."

Depois de uma guerra de tiros que durou uma hora, os soldados receberam ordens para libertar o chefe da Nova Geração.

"Presidente Aguayo, o que o senhor quer que façamos? Pérez Sosa está mantendo a minha equipe refém dentro da casa. Estamos sendo emboscados à esquerda e à direita. Vou pedir reforços."

"O que ele quer?"

"Ele diz que se o libertarmos, vai dar ordem aos seus homens para baixarem as armas. Ele diz que tem mais granadas, e até uma bomba, em um dos seus esconderijos."

"Como é que isso aconteceu? Você disse que ele veio sozinho", gritou o presidente Aguayo.

"Também pensamos isso."

"Diga ao seu informante que ele está morto. Alguém precisa assumir a responsabilidade por isso. Cabeças vão rolar. Não podemos permitir que isso aconteça. Acabei de ser eleito e agora tenho uma crise política nas mãos."

"Senhor, quer que chamemos mais tropas?"

"Baixem as armas. Não podemos ter mortes de civis."

As pessoas se esconderam em suas casas, sacaram os telefones e começaram a filmar o evento. O mundo inteiro iria assistir ao tiroteio ao vivo nas redes sociais. Os soldados libertaram Pérez Sosa. A mídia começou a cobrir o evento e em vinte minutos ele era o assunto de destaque em todas as plataformas.

"Notícia de última hora. Aguayo ordena a libertação do chefe da Nova Geração. Sete soldados foram mortos em um tiroteio que foi televisionado."

32

OS ACONTECIMENTOS OCORRIDOS FORA DE Guadalajara foram um desastre para a administração Aguayo. A DEA também fez notícia, mas não da maneira que queria. Pedro e Johnny suportaram um sério discurso do chefe.

'A Força Militar Mexicana é Derrotada Ao Vivo na TV' lia uma manchete.

As pesquisas de Aguayo caíram dez pontos em três dias.

Isso proporcionou uma grande oportunidade para Gordo e sua Segunda Geração Unida de Sinaloa. Ele nos ligou com notícias animadoras.

"Ricky, preciso que você e o Jason entrem em um avião e venham para cá imediatamente. Marquei uma reunião com o principal conselheiro de segurança do presidente. Vamos fazer um acordo. O presidente Aguayo quer diminuir o crime e a violência. Ele está disposto a negociar conosco através de diplomacia extraoficial. Os rumores é que ele tem tentado fazer acordos com os cartéis de Sinaloa e Nova Geração. O que ele não sabe é que esses cartéis quebram pactos o tempo todo. Essa reunião foi difícil de conseguir, mas temos um lugar à mesa."

"Vamos reservar as nossas passagens imediatamente", respondi.

"Diga ao Jason para mapear as rotas que vamos controlar. Os conselheiros de Aguayo estão dispostos a fazer um acordo se prometermos reduzir a violência. A violência não é ruim apenas para os nossos negócios, mas também para a presidência mexicana."

"Acabamos de marcar o nosso voo. Vamos viajar de madrugada."

"Ótimo! A reunião é daqui a três dias. Preciso que vocês determinem como vamos lavar dinheiro para eles. Também preciso de um cálculo para determinar qual é a melhor oferta de suborno."

Jason e eu desenvolvemos toda uma estratégia para ajudar Gordo a atingir os seus objetivos. O cartel faz quarenta milhões de dólares em um mês. Nós aumentámos as vendas de cocaína e o tráfico de heroína se manteve estável. O cartel queria aumentar as vendas de heroína e fentanil, mas isso exigia um aumento das operações em Guerrero, que havia se tornado um campo de batalha para diferentes cartéis lutando pelo controle dos campos de papoula de ópio.

Jason trabalhou durante meses melhorando os seus mapas e usando análises de dados para determinar onde os cartéis podiam operar, enquanto eu me concentrava nas empresas fantasmas e nas projeções de lucros. A transição para uma nova presidência significava que novos funcionários tomaram posse. Gordo e eu tínhamos uma lista de funcionários que precisávamos subornar para evitar captura e detenção. Eu sentia como se houvesse me tornado um especialista em política mexicana. Precisava trabalhar com os membros do cartel, em particular com o melhor amigo de Gordo, Javier Flores, para aprender tudo sobre política mexicana. Nós criamos mapas e diagramas de quais partidos políticos controlavam qual estado. Eu tinha um diagrama completo dos senadores e membros da Câmara dos Deputados. Essa reunião com a equipe do presidente poderia mudar a nossa estratégia. Havíamos esculpido o território no qual iríamos operar. Gordo estava organizando alianças com outros membros do cartel e tinha chegado a acordos com organizações rivais, para evitar irritar alguém.

Chegamos à Cidade do México e nos encontramos com Gordo. A reunião foi marcada para acontecer em um hotel em Polanco, um bairro de luxo na Cidade do México.

"Gordo, prazer em te ver. Estamos aqui. Temos todos os documentos."

"Ótimo. Quanto é que precisamos oferecer?"

"Jason passou a noite verificando os números. Vamos começar com um suborno de dez milhões de dólares. Se passarmos para a venda de fentanil nos Estados Unidos, podemos aumentar a nossa receita em dez vezes. Verifiquei o preço do fentanil vendido nos EUA com base nos dados do governo publicados pela DEA. Cinco por cento das nossas vendas podem ser usadas para pagar os melhores ministros de segurança, e outros dez por cento para chefes de polícia e funcionários alfandegários nos Estados Unidos."

"Quais são os diferentes cenários?"

Jason pegou uma pasta e afirmou: "Eu analisei três modelos estatísticos diferentes. Como você pode ver, o terceiro modelo é o melhor cenário. No entanto, ele assume que diversifiquemos o nosso portfólio e aumentemos os lucros com opioides em dez por cento no próximo trimestre."

"Gosto do modelo três. Ricky, e as empresas fantasmas?"

"Vamos criar três instituições diferentes para onde podemos transferir o dinheiro referente aos seus 'serviços'. Ele aparecerá em uma conta na

Suíça. Com o clique de um mouse o dinheiro pode ser movido entre as três empresas. Será quase impossível de localizar."

Jason e eu trabalhamos com Gordo durante horas antes da nossa grande reunião. O cartel contratou três novos profissionais para ajudar a aumentar o componente de cibersegurança da nossa operação. Como todos os grandes líderes, Gordo tinha uma visão.

O dia da nossa reunião havia chegado. Usamos ternos e entramos em um carro preto que nos levou ao Hotel W.

Miguel Angel Zepeda era o principal conselheiro de segurança do presidente Aguayo. Gordo frequentou a escola com ele, e eles costumavam jogar no mesmo time de futebol na Cidade do México. Essa era uma grande oportunidade para penetrar na máquina do governo nos mais altos níveis.

Entramos no hotel e fomos recebidos pelo assistente de Zepeda.

"Venham comigo", disse ele.

Ele nos levou para um quarto luxuoso no último andar.

"Olhe para você! Como vai, Gordo? Faz muito tempo", disse Zepeda, abraçando-o.

"Quero apresentar os meus dois consultores, Dr. Jason White e o Sr. Ricky Gold."

"Prazer em conhecer vocês, rapazes. Querem sentar? Querem uma cerveja? Tequila? Café?

"Café seria ótimo."

"É para já. Ernesto, pode trazer quatro cafés e quatro garrafas de água?"

"Sim, senhor."

"Eu sei que vocês são ocupados e eu também. Vamos ao que interessa. Vocês viram o que aconteceu no outro dia fora de Guadalajara, certo?"

"Claro", os três responderam.

"O presidente está enfrentando uma crise política. Ele me deu autoridade para resolver o problema. Precisamos reduzir a violência custe o que custar. Amanhã ele vai enviar os militares para Guadalajara. Isso é uma demonstração de força. Mas não podemos enviar os militares para todos os estados."

"Temos algumas ideias para ajudar."

"Nós precisamos criar relacionamentos. O Presidente Aguayo quer que a violência diminua 50% nos próximos seis meses. Estamos abertos para negociar."

Jason e eu vimos Gordo usar o seu charme e habilidade em negociação.

"Estamos interessados em operar em Guerrero e em três estados de fronteira para mover drogas. Estamos dispostos a pagar dez milhões e prometemos reduzir os níveis de violência. Estamos mudando a forma como operamos."

"O que você quer de mim em troca?"

"Mantenha as autoridades federais longe de nós. Prometemos não nos envolver em manifestações públicas de violência. Jason, pode me dar as suas projeções?"

Jason sacou uma pasta e a entregou a Gordo.

"Jason tem PhD em estatística. Calculamos nossa previsão de lucros para o próximo trimestre. Podemos lhe dar uma porcentagem fixa dos nossos lucros, se concordar em nos ajudar com as autoridades federais."

"Eu prometo que a polícia federal não estará atrás de vocês. Também controlo os governadores e posso explicar a situação. Não controlamos Guerrero, porque o governador é de outro partido. Você terá que fazer o seu próprio acordo com o governador de lá."

"Ricky criou um plano de pagamento. Nós temos três empresas fantasmas que vão lavar o dinheiro para você. Podemos mover o dinheiro com o clique de um mouse. As empresas foram estabelecidas principalmente nas Ilhas Virgens. Também podemos lavar o dinheiro através de negócios legítimos que estamos comprando", afirmou Gordo.

"Nosso acordo, no entanto, mudará se houverem manifestações públicas de violência. Não posso confiar no cartel de Sinaloa. Eles quebram acordos o tempo inteiro. Eu confio em você, Gordo. Nós nos conhecemos há muitos anos. Toda a comunicação, ou qualquer problema que você tenha, vai passar por mim. Deixa eu te dar o número da minha linha direta. Esse telefone é encriptado. Pergunte por Javier e espere ser transferido para mim. Passe as informações para o meu assistente que vai ajudar a montar a empresa fantasma. Ele tem MBA em finanças e trabalhou em bancos corporativos por anos. Confio nele com a minha vida."

"Está bem. Vamos nos manter em contato. Nosso objetivo é ganhar dinheiro, não causar problemas para o governo", disse Gordo.

Jason e eu falamos sobre os nossos planos e diferentes preparativos. Essa parecia com qualquer outra reunião de negócios. O ministro da segurança ficou impressionado com o nosso profissionalismo e análise.

"Vocês realmente fizeram o dever de casa. Estou impressionado. Gostaria que os outros cartéis fossem mais razoáveis e mais fáceis de se trabalhar. O presidente Aguayo vai atrás do cartel da Nova Geração. As condições de negociação deles são impossíveis. Além disso, eles são violentos demais. Não queremos ficar sob investigação do governo federal. Aguayo está tentando que os Estados acabem com o crime organizado. Assim, mesmo que algo seja revelado ou alguém seja apanhado, podemos lavar as mãos e culpar outro governador corrupto envolvido no crime organizado."

"Parece ótimo."

Apertamos as mãos e saímos do hotel.

Gordo se virou para nós, "É assim que fazemos negócio. Bom trabalho, rapazes."

33

"Querida, vou precisar viajar para o México essa semana."

"Estou tão orgulhosa de você, Ricky. Você está usando seu conhecimento para ajudar a lutar por justiça em outros países. E também ajudando pequenas empresas a melhorar. Isso ajuda diretamente o povo do México. Estou tão feliz por você estar indo tão bem."

"Eu também. Só quero cuidar da nossa família", respondi. "Detesto ficar longe de você e dos garotos. Desculpe, meu amor. De verdade. Vou tentar viajar menos, ou durante poucos dias, não quero deixar de passar tempo com os nossos lindos bebês."

Eu disse a Jazmine que havíamos recebido alguns contratos de diferentes agências governamentais para desenvolver "boas práticas" para melhorar o sistema de justiça criminal. Eu odiava mentir para ela, mas adorava poder cuidar da minha mulher e dos meus filhos. Eu havia conseguido pagar a nossa dívida no hospital e mais de quinze mil dólares em dívidas do cartão de crédito. Essa dívida me causou intermináveis quantidades de stress e muitas noites sem dormir, porque não sabia como iria pagá-la.

"Essa vai ser uma viagem rápida, querida. Vou estar de volta para levar os nossos bebês ao parque num instante. Vamos nos encontrar com o governador de um dos estados mais pobres do México. Estamos propondo diferentes metodologias para ajudar a melhorar o sistema de justiça penal. Jason analisou todos os números e está ajudando a identificar como usar os dados para determinar onde está a necessidade. Ele analisou todos os dados dos crimes e sabe há quanto tempo cada caso está parado no sistema à espera de ser processado."

"Estou tão orgulhosa do meu consultor."

Eu a beijei nas bochechas.

"Onde estão os meus bebês?"

"Estão dormindo. Por favor, não os acorde."

Andei até o fim do corredor e encontrei William entre os meus lindos garotos. Me aproximei e os beijei. William esticou as patas.

"William, seu gato bobo. Você é um gato ou um irmão mais velho?"

Ele estava ronronando como um motor. Os garotos adoravam William. Ele era paciente com eles, mesmo quando puxavam a sua cauda de vez em quando.

Fui até ao nosso quarto e comecei a arrumar as minhas coisas. Jason e eu voaríamos na noite seguinte para uma viagem de três dias ao México. Gordo havia combinado um encontro com o chefe da polícia de Acapulco. Uma semana antes, ele fez um acordo com o líder do cartel da cidade.

Encontramos Gordo no seu escritório e ele nos contou do seu estranho encontro com o líder do cartel.

"Como foi a reunião?”

“Estranha. Sabe onde eu o encontrei?”

"Em um bar?”

"Na prisão!”

"O quê!”

“Ele fez um acordo com o governador e está cumprindo uma pena de cinco anos por tráfico de drogas. Controla tudo atrás das grades. Ele não quer ser extraditado para os Estados Unidos e prefere gerir as suas operações a partir de uma prisão mexicana.”

Entrei no complexo prisional que fica fora de Acapulco. O edifício parecia que estava caindo aos pedaços.

"Quem você veio ver?”

"Marcos Castillo."

"Siga-me", disse o guarda.

Entramos na prisão, que estava com excesso de capacidade. Eu vi pelo menos 2.000 internos e, provavelmente, dez guardas. O guarda me levou para outra seção do complexo. Ele abriu o portão e eu nunca vou esquecer o que vi.

"Marcos, alguém está aqui para te ver."

Marcos estava em uma jacuzzi com várias garotas de biquíni. Algumas pessoas estavam jogando futebol em um campo pequeno. Alguns presos faziam hambúrgueres na grelha.

"Sou eu, Gordo."

"Ei! Já são 14h? Desculpe. O tempo voa quando você está se divertindo. Eu já volto", gritou ele para as quatro garotas na jacuzzi.

"Que belo lugar você tem aqui."

"Verdade! Me custou uns dois milhões. Mas eu tenho a minha própria ala na prisão. Estou controlando as minhas operações atrás das grades. Os guardas aqui têm medo de mim. Eu paguei todos. Disse que podem aceitar os meus subornos ou eu mato as famílias deles. Infelizmente, um se recusou. Ele já não está mais conosco."

"Podemos falar em um lugar sossegado?"

"Claro, meu amigo. Vamos para o meu escritório."

A cela de Marcos tinha uma televisão grande e uma cama king-size.

"Gosto do que você fez com esse lugar", disse Gordo.

"Obrigado! Só membros do cartel estão nessa ala."

Passamos por um grupo de homens fazendo ligações usando os seus próprios celulares. As prisões não permitiam contrabando e nem celulares. Os presos estavam ajudando a aumentar a receita do cartel extorquindo pessoas do lado de fora.

"Tenho alguns caras passando cinco horas por dia fazendo ligações e recebendo dinheiro das pessoas que nos devem. Também podemos ganhar alguns milhares por dia extorquindo pessoas aleatórias e dizendo que raptamos os seus entes queridos. A maioria das pessoas fica assustada e paga o resgate."

Entramos em uma cela pequena que Marcos usava como escritório.

"Como posso ajudar você?"

"Quero entrar no negócio de fentanil aqui em Guerrero. Sei que os outros cartéis estão lutando por controle depois da fragmentação da organização Beltrán Leyva. Não queremos problemas com outros cartéis", disse Gordo.

"Controlamos sete municípios em Guerrero. Os

nossos maiores inimigos são o cartel de Sinaloa, o Nova Geração, os Cavaleiros Templários e os Guerrero Unidos. Estou aberto a negócios. Porém, se você trabalha comigo, não pode trabalhar com as organizações que mencionei."

"Entendo. E se te ajudarmos a traficar opioides para os Estados Unidos? Temos uma fortaleza em Nova York e vamos fortalecer os nossos laços em Miami. Vocês não têm presença em Nova York. Vamos expandir para a Filadélfia e Baltimore."

"Eu gosto disso. Qual é a divisão?"

"60 e 40. Vamos transferir as drogas de Guerrero para os Estados Unidos. Você sabe quantos americanos morreram no ano passado de overdose?"

"Trinta mil pessoas?"

"Setenta mil. O preço do fentanil está nas alturas. Também vamos colocar um pouco de fentanil na heroína."

Os dois apertaram as mãos. Marcos voltou para a sua jacuzzi, pois não queria deixar suas amigas esperando.

"Vocês não fazem ideia da loucura que foi," disse Gordo, que nos contou a sua experiência na prisão.

"Parece loucura", disse Jason.

Entramos em um jato comercial e aterrissamos em Acapulco. Quatro membros da equipe do governador Pérez nos encontraram no aeroporto.

"Bem-vindos a Acapulco, rapazes. O governador está esperando vocês."

Jason e eu nunca havíamos viajado tanto nas nossas vidas. Éramos dois caras da classe trabalhadora de Long Island e nunca imaginamos que iríamos viajar tanto para fora do país com o nosso novo serviço de consultoria.

Gordo gostava de nos ter envolvidos nas reuniões. Ele precisava que o Jason respondesse quaisquer perguntas sobre estatística. Jason se mantinha focado nos números, enquanto eu me concentrei nos negócios e em problemas legais em potencial que poderiam surgir. Eu havia me tornado um especialista em direito internacional, lacunas e paraísos fiscais. Acabei de ler o meu décimo livro sobre lavagem de dinheiro na viagem de avião à Acapulco.

Chegamos na mansão do governador. Os quatro assistentes nos levaram até o seu escritório

"Bem-vindos, rapazes. Não ouçam o que dizem no norte. Guerrero é o melhor estado do México."

"Como vai o senhor? Estou aqui com dois dos meus associados, Jason e Ricky. Jason é o nosso especialista em dados e Ricky nos impede de ter problemas legais. Vieram diretamente de Nova York para participar dessa reunião. Quero que o senhor veja que contratamos os melhores. Jason é doutor em estatística pela Ivy League e Ricky era um dos melhores advogados de defesa de toda a cidade de Nova York."

"Muito prazer. Pensei que vocês, gringos, só queriam vir aqui para pegar sol. Fico feliz por estarem aqui para fazer negócios, não só para ver as nossas belas praias. Vamos sentar."

Caminhamos até um conjunto de três sofás.

"Se importa que os meus assistentes participem?"

"Preferimos falar apenas com o senhor, se não se importar", disse Gordo.

"Sem problema. Eu entendo. Estou envolvido na política há trinta anos. Não sou nenhum novato. Sei como o jogo funciona. O presidente acha que pode resolver tudo de um dia para o outro. Esses líderes populistas prometem tudo a todos. Guerrero precisa de alguém que seja duro e não tenha medo de tomar decisões difíceis."

O governador manteve laços estreitos com o cartel de Acapulco durante anos. Houve até rumores de que eles ajudaram a financiar uma das suas campanhas. Um jornalista o havia investigado durante quatro anos. Rumores eram de que o governador mandou matá-lo, já que ele foi encontrado morto em seu apartamento, com apenas vinte e seis anos de idade. A ONG Human Rights Watch condenou o assassinato e os crescentes ataques contra ativistas.

"Ouvi dizer que vocês são ligados ao cartel de Acapulco."

"Sim, senhor. Chegamos a um acordo para transportar drogas."

"Gostaríamos de lhe oferecer cinco milhões de dólares. Vamos transferir o dinheiro através de uma das nossas entidades. Considere isso uma contribuição para a campanha. Só estamos trabalhando com o cartel de Acapulco. Não temos interesse em operar nas outras zonas do estado controladas por cartéis."

"Jason, pode mostrar ao governador as zonas onde vamos operar?"

"Governador, obrigado pelo seu tempo." Jason tirou um mapa que tinha todo o estado dividido em cores diferentes, cada cor representando a presença e controle do cartel.

"Minha nossa. Você fez tudo isso?"

"Sim, senhor. Mapeamos todo o estado. Como o senhor pode ver, há apenas quatro municípios que não têm presença de cartel ou gangue."

"Esse cara sabe mais do que o meu chefe de polícia."

"Só contratamos os melhores", disse Gordo.

"Como eu estava dizendo senhor, nós gostaríamos de operar nesses municípios aqui", disse Jason enquanto apontava para o mapa.

"Posso ficar com este mapa?"

Jason olhou para Gordo.

"Sim, senhor."

Os dados revelaram que o governador tinha um dilema de segurança, porque não era possível fazer acordos com todo os cartéis. Se um cartel descobre que o outro está ganhando mais dinheiro ou conseguiu um acordo melhor, isso criará problemas.

"Preciso que você mantenha a violência sob controle. O meu partido controla o estado, mas tenho alguns líderes locais que não estão seguindo a linha do partido. Eu preciso disciplená-los e lembrar quem manda no estado. Vou cortar os fundos."

"Governador, também o ajudaríamos a prender alguns traficantes. O meu cartel tem um informante no cartel de Sinaloa. Ele está disposto a fornecer coordenadas para as suas operações estratégicas, se o preço for bom."

"Sim! Quero o Sinaloa fora do meu estado. Eles são violentos demais."

"Ricky, pode explicar como vamos transferir o dinheiro?"

"Governador, a nossa pesquisa mostra que você possui vários negócios de construção", eu proclamei.

"A minha família tem. Se chama Monterrey Construção. A oposição me critica muito por isso. Eu não administro o negócio. É dirigido pelos meus filhos."

"Nossa pesquisa mostra que a Monterrey Construções tem dezesseis projetos de obras públicas por todo o estado. Vamos canalizar o dinheiro através delas. Fizemos uma parceria com uma empresa local de cimento. Eles podem comprar os nossos produtos. Podemos ajustar os preços dos bens para que pareça uma transação legítima."

"Vocês realmente fizeram sua pesquisa", respondeu o governador.

Gordo nos deu muita informação sobre todos os possíveis líderes que podíamos subornar. Ele tinha a sua crescente equipe de hackers recolhendo registros bancários e nos fornecendo com o máximo de informação possível. Gordo nunca quis que fôssemos à uma reunião para a qual não estávamos preparados.

"Governador, essa é a onda do futuro. Nós vemos o senhor como um aliado chave. Podemos nos beneficiar com essa relação de respeito mútuo. Não queremos ocupar mais o seu tempo porque o senhor é um homem ocupado."

O governador esfregou as mãos e declarou: "Estou ansioso para trabalhar com vocês. Vou avisar os chefes de polícia nas zonas onde vocês querem trabalhar. A próxima semana parece uma boa data para começar?"

"Sim, senhor."

"Excelente. Não se preocupem, estão em boas mãos, meus amigos. Eu controlo todos os ramos do governo nesse estado. Nada acontece nada em Guerrero sem que eu saiba. Vocês conhecem o ditado: *Pueblo chico, infierno grande*[1]."

Nas três semanas seguintes, a Segunda Geração Unida de Sinaloa e o cartel de Acapulco aumentaram a quantidade de heroína e fentanil traficados em cinquenta por cento. Os chefes da polícia municipal fizeram vista grossa – por uma pequena fortuna, é claro – enquanto as drogas eram transportadas para a Cidade do México. Jason desenvolveu vários modelos estatísticos e determinou que seria mais eficiente se trinta por cento das drogas fossem levadas para um aeroporto privado, enquanto cinquenta por cento seria transportado em carros carregados. O cartel pagou motoristas de reboque para levá-los até o norte de Puebla, que fica a várias horas da Cidade do México. Os carros carregados nos caminhões de reboque tinham amortecedores extra, por isso não era óbvio que estavam carregados de drogas. Finalmente, apenas vinte por cento das drogas foram movidas via barco, a partir de Guerrero. A Marinha mexicana intensificou as operações e Jason calculou que eles sempre apreendiam drogas durante os fins de semana. Assim, as drogas seriam enviadas apenas na terça-feira à noite. Os barcos seriam reabastecidos na cidade portuária de Lázaro Cárdenas, localizada em Michoacán. As drogas, no entanto, não podiam ser movidas através de Michoacán, porque havia muitos cartéis competindo por território. Eles não precisavam que mais drogas fossem roubadas e não queríamos aumentar nossos custos de envio pagando o imposto cobrado pelos cartéis conhecidos como "cobradores de pedágio".

---

1. N.T. Cidade pequena, inferno grande.

34

Jason se destacou na companhia. Ele atualizava seus modelos estatísticos todos os dias com novos dados. Também desenvolveu um algoritmo complexo que ajudou a prever onde a polícia e o exército atacariam em seguida. Sessenta e cinco por cento dos lucros do cartel vinham das drogas. Entre elas, a cocaína continuou sendo a mercadoria mais rentável, seguida da heroína e fentanil. O cartel fazia muito pouco com o tráfico de maconha. Não só a maconha não é tão lucrativa como a cocaína e a heroína, a legalização da droga em alguns estados dos Estados Unidos mudou a economia da produção e do tráfico da droga.

Jason brincava que não conseguia calcular o que os outros cartéis ganhavam com as drogas porque que a informação não era pública.

"Os cartéis não precisam reportar todas as declarações bancárias ao governo", disse Jason. "Isso é o melhor que posso fazer com as estimativas. Claro, a menos que você possa ligar para o cartel de Sinaloa e perguntar quanto eles ganharam esse ano." Jason riu enquanto ajustava os óculos.

Ele me surpreendia porque nunca parecia nervoso. Ele realmente achava que éramos inteligentes o suficiente para superar o governo e aprender com os erros do passado de diferentes grupos criminosos. Jason estava sempre usando as suas habilidades de resolução de problemas para pensar melhor do que o governo. Você deveria ver o escritório dele em Nova York. Ele parecia um verdadeiro "professor maluco". Tinha livros empilhados até o teto, já que estava lendo o máximo que podia sobre o crime organizado e as estratégias do FBI para capturar traficantes de drogas.

Um negócio que se tornou bastante lucrativo entre os cartéis era o tráfico de seres humanos. Gordo insistiu que não queria se envolver nessa indústria. Concordamos com a decisão dele.

"O tráfico de seres humanos é uma forma de escravidão moderna. Queremos nos concentrar nas drogas e nos crimes de colarinho branco. Não quero me envolver nesse aspecto do crime organizado."

"Concordo. É muito arriscado e muito destrutivo", disse Jason.

"As pessoas dizem que não há honra entre ladrões, mas elas estão erradas. Existem diferentes categorias de criminosos", disse Gordo com uma voz apaixonada. "Não vamos nos envolver com exploração infantil. Deixe isso para os outros cartéis. Não suporto a ideia de estar envolvido nesse negócio."

O cartel começou a diversificar com extorsão e roubo de petróleo. Gordo subcontratou outras organizações criminosas que faziam buracos em oleodutos que pertenciam à companhia petrolífera nacional, *Petróleos Mexicanos*, ou Pemex. Nós então vendíamos o petróleo no mercado negro. Essas atividades representavam apenas quinze por cento dos nossos lucros. Os últimos vinte por cento vinham de diferentes esquemas de lavagem de dinheiro. Éramos bons em esconder o nosso dinheiro através de empresas fantasmas, mas queríamos começar a investir mais em ações, títulos e negócios legítimos.

Eu trabalhava próximo à Gordo, para garantir menos chances de termos problemas legais. Planejávamos durante horas. Ele me fez informar aos outros membros sobre a nossa estratégia. Aqueles indivíduos que não podiam comparecer pessoalmente a uma casa que Gordo possuía em um bairro de classe média na Cidade do México, ligavam de linhas de telefone criptografadas. Eu me lembro de uma reunião de estratégia que tivemos com toda a equipe.

"Prestem atenção, pessoal. Ricky, o advogado do cartel, trabalhou comigo para elaborar uma estratégia legal sólida. Interrompam-no a qualquer momento se não compreenderem alguma coisa", disse Oscar aos membros do cartel.

"Como vocês sabem, aprendemos com os erros dos criminosos do passado. Queremos ser discretos. Vamos subcontratar profissionais de segurança e mercenários. Assim, não quero que vocês carreguem armas. Obviamente, eu sei que há circunstâncias onde isso é necessário. No entanto, queremos realmente que os nossos membros-chave se mantenham afastados das acusações de posse de armas. Isso vai ajudar vocês a evitar décadas de prisão", eu disse ao grupo.

"Esse é um ponto muito importante. Quero repetir essa ideia", disse Gordo.

"Eu sei que vocês já sabem, mas precisamos que sejam discretos nas redes sociais. Preferimos que vocês não tenham presença nas redes. Temos lido novos relatórios sobre o crime organizado e as redes sociais. Estudiosos escreveram livros sobre esse assunto, e a lei e as comunidades de inteligência nos Estados Unidos e no México estão realmente prestando atenção. Alguém tem alguma pergunta?"

"Não senhor", responderam os outros membros do cartel.

"O nosso objetivo é passarmos despercebidos. A

cocaína vem da Colômbia, e temos vários subcontratados que fazem o transporte pela América Central, já a heroína e os opioides são comprados em Guerrero. Atualmente, não temos operações na Colômbia, mas há potencial para expansão no futuro. Nós, no entanto, vamos trabalhar com gangues e subcontratados na América Central, para nos ajudar a mover as drogas. Alguma pergunta?"

"Não senhor", responderam os outros membros do cartel.

"Vamos continuar trabalhando com os nossos esconderijos. Não tivemos nenhum problema. Eles estão em bairros de classe média. Estamos trabalhando com professores, arquitetos e até alguns médicos, que estão tentando ganhar algum dinheiro extra. Só tivemos um incidente no qual alguém desviou cocaína. Esse problema foi resolvido adequadamente. É menos provável que a polícia suspeite de alguém vivendo em um bairro de classe média. Dirigimos os nossos carros até à garagem e depois descarregamos. A maioria das pessoas está armazenando as drogas no sótão", disse Gordo.

A estratégia intensa ajudou o cartel a melhorar as suas operações. Os negócios continuaram a florescer nos meses seguintes porque o cartel havia feito enorme progresso e melhorado a eficiência. Nos afastamos da costa oeste e nos concentramos na costa leste. Expandimos as nossas operações de

Nova York para a Filadélfia e Baltimore. Éramos muito cuidadosos sobre onde operávamos em Nova York. O cartel de Sinaloa tinha negócios na cidade, mas não controlavam todo o estado. No entanto, eles nos avisaram para ficar longe do centro oeste, particularmente de Chicago. Não tínhamos laços locais para distribuir as drogas por lá, e não queríamos entrar em guerra com um dos cartéis mais poderosos e conhecidos pela violência.

Trabalhávamos mais em Miami porque era uma viagem curta saindo da América Latina, e havia vários políticos conhecidos por suas práticas corruptas. Precisávamos cuidar de algumas coisas por lá e organizamos uma viagem. Jason e eu estávamos trabalhando principalmente com o Gordo. No entanto, ele tinha outros negócios que precisam ser tratados no México. Assim, ele enviou Javier Flores conosco. Javier falava um inglês impecável e estava familiarizado com os Estados Unidos, já que havia nascido lá. Nós não havíamos trabalhado muito de perto com ele, mas ele estava começando a desempenhar um papel maior como secundário nas operações. Antes disso, ele preferia manter um perfil mais discreto.

"Estão prontos para ir a Miami? Adoro o estado do sol. Nada bate uma diversão ao sol", disse Javier.

"Sim, senhor. MIA, aqui vamos nós."

Jason e eu combinamos de nos encontrar com o

prefeito de Miami. O prefeito, Mark Blunt, era um homem arrogante, de quarenta e cinco anos, que cresceu em Miami. Ele tinha uma longa história na política. O seu pai havia sido prefeito, mas renunciou após um escândalo de corrupção. Blunt precisou se distanciar do pai, que passou uma década na prisão federal. O que as pessoas não sabiam sobre Mark, era que ele estava envolvido até o pescoço em dívidas de jogo. Mesmo fazendo um bom trabalho escondendo da família, o vício era sério. Mark apostava em tudo, desde jogos de ensino médio até o Super Bowl. Ele devia à vários apostadores quase meio milhão de dólares.

Gordo nos ensinou que precisávamos investigar todo mundo como se fôssemos analistas da CIA. O cartel tinha vários investigadores particulares e policiais aposentados, que podiam nos dar informações sobre qualquer pessoa. Gordo era um mestre manipulador e queria encontrar a fraqueza de cada um. Isso dava vantagem ao cartel. Um dos contadores perguntou a Gordo por que o cartel pagava tanto por investigadores particulares. Ele havia aprendido que essa vantagem podia ajudar a manter você fora da prisão. Quando trabalhava para o cartel de Sinaloa, Gordo tinha uma montanha de fotos de funcionários corruptos aceitando subornos de diferentes organizações criminosas. Ele mandou um dos seus agentes entregar as fotos ao gabinete do prefeito e ameaçou enviá-las à imprensa. Isso os ajudou a conseguir um acordo melhor com o prefeito, que deixou de trabalhar com os outros cartéis. Gordo queria continuar essa prática e aumentar a pressão sobre os funcionários corruptos do governo.

"Vantagem, senhor. Sempre precisamos de vantagem", Gordo nos lembrava.

O nosso investigador tirou fotos do prefeito se encontrando com vários apostadores conhecidos.

Entramos em um jato comercial e fomos até Miami. Jason estava usando a sua camisa havaiana favorita.

"Mal posso esperar para chegar em Miami. Vai ser a minha primeira vez."

"Eu pensei que esse era o destino para todas as pessoas de Long Island", eu ri. Fui uma vez como adulto, mas já fazia anos. Era um lugar interessante. Ótimo se você ama o ar livre. A umidade é difícil no verão.

Essa era a nossa primeira viagem com Javier. Vimos isso como uma oportunidade para o conhecermos melhor. Javier era um cara muito tímido e nunca gostou de falar sobre a sua vida pessoal. Ele acreditava que quanto menos as pessoas soubessem, melhor.

Gordo nos contou mais sobre Javier antes da viagem a Miami. Ele afirmou: "Javier Flores é um cara legal. Ele tem sido um grande amigo por muitos anos. Muitos membros do submundo do crime, incluindo Javier, têm certas paranoias. Javier não quer que ninguém saiba muito sobre ele ou a sua família. Não quer que ninguém possa chantageá-lo. Ele vê o cartel como algo estritamente profissional e não como uma irmandade. Argumenta que não precisamos ser amigos, mas sim fazer o nosso trabalho."

Aterrissamos em Miami. Alugamos um carro e dirigimos até o nosso hotel em South Beach. O prefeito queria que nos encontrássemos em North Miami Beach no sábado de manhã.

"O prefeito disse para nos vestirmos casualmente."

"Quão casual?"

"Camisa polo e bermuda."

"Tudo bem", disse Jason. "Acho que está na hora de tirar a minha guayabera. Eu adoro essa camisa. Acho que definitivamente me faz parecer mais maneiro."

"Você é maneiro não importa o que use", disse Javier, rindo. "Sério, eu acho que você é o estatístico mais maneiro que eu conheço. Quer dizer, você é o único que eu conheço. Eu realmente acho que essa camisa faz você parecer ainda mais maneiro."

Encontramos o prefeito para o café da manhã em um antigo hotel em North Miami Beach. Ele estava usando óculos escuros e um boné de beisebol.

"Bem-vindos a Miami, rapazes. É o paraíso. Sei

que os nova-iorquinos acham que vivem na melhor cidade. Fiquem em Miami por algumas semanas e vamos mostrar que vocês estão completamente errados."

"Como vai o senhor? Deixe que eu apresente os meus colegas, Jason e Javier. O Javier é um dos nossos clientes. Jason e eu trabalhamos como consultores para a White Gold Consultoria. Javier e os seus associados estão envolvidos em várias oportunidades de negócio e estão procurando expandir em Miami."

"White Gold Consultoria! Soa como uma boate."

"Na verdade, são os nossos sobrenomes. Não somos muito criativos." Jason riu.

Nos cumprimentamos e seguimos o prefeito até o seu quarto de hotel.

"Café cubano?"

"Sim, por favor. Jason, já provou? É o melhor. Adoro café cubano."

"Não, mas mal posso esperar para experimentar. Já adoro Miami."

O prefeito pegou quatro cafés e os colocou em uma bandeja.

"Como posso ajudá-los, cavalheiros?"

"Nós gostaríamos de aumentar o nosso nível de proteção. Estamos movendo alguns produtos pelo porto de Miami", disse Javier.

"Eu tenho alguns contatos na alfândega e na polícia de Miami que podem ajudar. No entanto, esse é um grande favor."

"Nós entendemos. Queremos levar o produto de Miami diretamente para um esconderijo que a organização opera em Homestead. Temos outro esconderijo em Hollywood, não muito longe do casino."

"Quanto estão dispostos a pagar?"

"Jason fez alguns cálculos e chegamos a seis milhões de dólares. Conhecemos a sua influência em Miami. Esperamos transportar mais produtos. Na verdade, isso pode exigir que renegociemos a sua compensação dentro de alguns meses. Gostaríamos que essa fosse uma relação de longo prazo."

"Parece um bom plano. Quero ser bem claro: eu não tenho controle sobre a DEA ou os militares."

"Nós sabemos."

"No entanto, tenho alguns contatos de alto nível no governo. Como vocês vão me pagar?"

"Em prestações mensais pelos seus serviços de 'consultoria'. Meus colegas e eu temos uma sofisticada rede de empresas fantasmas que fazem o dinheiro muito difícil de rastrear. O seu dinheiro vai passar por sete dessas empresas. O dinheiro será transferido do Panamá para Nova York, depois para a Suíça, e de volta para uma conta nas Ilhas Virgens."

"Nós três e nossos colegas no México estamos usando um sistema complexo para lavar dinheiro. A outra opção é que podemos lhe vender criptomoedas, como a Bitcoin", disse Javier.

"Eu prefiro dinheiro", respondeu o prefeito.

"Prefeito, há uma última coisa. Queremos lhe assegurar que a nossa prioridade é nos encaixarmos em Miami. Eu sei que essa é uma cidade animada e as pessoas gostam de se exibir e de se divertir ao sol. Não é assim que a minha organização faz negócios. Temos trabalhado com nossos consultores e eles nos ajudaram a desenvolver um modelo de negócio sólido que não resulta em violência", disse Javier.

"Adoro o que estou ouvindo. Eu já ia dizer que a última coisa de que preciso é que Miami volte para os anos 80. Aqueles tempos eram selvagens. O crime e a violência estavam fora de controle. O governo federal veio aqui para fechar as rotas. Os cartéis colombianos eram implacáveis e causaram muita destruição nessa cidade. Sou candidato à reeleição. Não posso permitir que a violência relacionada às drogas aumente na minha cidade."

"Não poderíamos estar mais de acordo. Sr. Prefeito, queremos lhe dar os nossos contatos. Temos uma linha encriptada onde pode nos contatar. Por favor, marque todas as consultas através do José. Ele é o meu assistente pessoal."

"Parece bom, rapazes. Quando vocês querem que eu fale com os meus contatos na polícia?"

"Assim que puder. Faremos o nosso primeiro depósito dentro de uma semana. Por favor, nos avise se tiver alguma pergunta. Ricky e eu podemos responder às questões financeiras e legais. No entanto, deixamos todos os modelos estatísticos para o Jason. Mal consigo soletrar metade dos testes estatísticos que ele faz." Javier riu e deu uma palmada nas costas do prefeito.

35

Jason e eu ajudamos o cartel a aumentar os lucros para 100 milhões de dólares por mês. Estávamos cobrando centenas de horas pelos nossos serviços. Gordo nos perguntou se queríamos mudar o nosso papel no cartel, mas Jason e eu estávamos felizes sendo consultores. Trabalhar como consultores tornava mais fácil para nós esconder nossas atividades ilícitas. Continuamos a receber contratos de diferentes pequenas empresas e agências governamentais. Isso também tornou muito mais fácil justificar nossos serviços de consultoria, no caso de a Receita decidir nos auditar.

O cartel continuou a crescer com o tempo. Nos dois anos desde que começamos a trabalhar como consultores, a organização cresceu para quarenta membros permanentes. Tínhamos dez contadores e profissionais de finanças, assim como dez pessoas trabalhando em cibersegurança. Gordo queria ter certeza de que tínhamos excelentes protocolos de segurança. A equipe de tecnologia era composta por programadores e hackers. Um deles tinha mestrado em ciências da computação pelo MIT, mas teve dificuldades em conseguir emprego porque havia sido fichado por hackear empresas. Eu liderava uma equipe de sete profissionais, que me ajudavam a encontrar todas as lacunas do direito internacional. A equipe jurídica e eu concebemos estratégias que tornariam mais difícil para o governo federal nos processar nos Estados Unidos. O Departamento de Justiça estava cooperando estreitamente com as autoridades mexicanas e tinha uma longa lista de cidadãos mexicanos que queria extraditar por uma lista extensa de crimes. Jason e eu vivíamos em Nova York e o governo federal teria adorado prender dois cidadãos americanos envolvidos com tráfico de drogas, crime organizado e do colarinho branco. Todos os dias, Jason e eu cometíamos crimes diferentes e queríamos tornar cada vez mais difícil construir um caso contra nós.

A equipe era composta por jovens, alguns dos quais queriam ganhar dinheiro rápido. Nós não mentimos para nenhum dos nossos membros. Muitos deles eram jovens inteligentes que se sentiam marginalizados. Alguns já tinham problemas com a lei, enquanto outros queriam lutar contra "as autoridades". Filtramos cuidadosamente a nossa equipe e não queríamos pessoas com problemas graves de vício em drogas ou em jogo. Ter alguém na sua equipe que deve dinheiro a apostadores o torna mais fácil de subornar. Alguns dos nossos funcionários poderiam ter sido excelentes funcionários nas melhores empresas de software. Alguns deles enfrentaram altos níveis de discriminação por causa do CEP listado nos seus currículos. O México tem uma grande divisão entre ricos e pobres. Os membros da nossa equipe não tinham o "sobrenome certo" e estavam fartos de serem discriminados. Com o tempo, comecei a pensar que estávamos manipulando essas pessoas. Gordo me lembrou que os membros do nosso time se juntaram a nós por vontade própria e só queriam uma oportunidade.

"Infelizmente, alguns desses garotos foram vítimas dos problemas estruturais enraizados que o México enfrenta." Ele soava como um professor de sociologia falando sobre desigualdade e desenvolvimento no México. "Se repararem, cada um dos nossos empregados tem algo único que os atraiu para o submundo do crime. A maioria deles tem pouca confiança no governo e foram traídos pelo sistema. Quatro dos nossos empregados foram presos por posse de maconha. Isso os assombrava em todas as candidaturas de emprego", respondeu Gordo.

"Pessoas desesperadas fazem coisas desesperadas. Jason e eu também nos incluímos nessa categoria", respondi.

Gordo desenvolveu uma estrutura e uma cadeia de comando. Eu o ajudei a desenvolver os termos e condições que todos os membros deveriam respeitar.

"Não somos um cartel comum. Somos profissionais de negócios", Gordo me dizia. "Se alguém acha que somos loucos por sermos minuciosos, então não os quero na minha organização."

Jason criou uma forma sistemática de avaliarmos o desempenho de todos os funcionários, com base na descrição do seu trabalho. Usamos estatísticas e ciência atuarial para determinar a estrutura do bônus de cada funcionário. Gordo queria incentivar cada um a desempenhar o seu melhor trabalho.

"Você sabe o que eu aprendi com o cartel de Sinaloa?" Gordo me perguntou.

"Que o poder é perigoso?"

"Verdade! Aprendi que todos querem ser o líder. O ciúme é ruim para os negócios. Por que deveríamos pagar tanto dinheiro ao chefe? Todos os soldados do cartel queriam subir na hierarquia e dominar. Lutas internas e rivalidades são ruins para os negócios. Temos que ser melhores do que eles. Não queremos que a divisão nos impeça de ganhar dinheiro."

Se as pessoas de fora olhassem para os nossos documentos, incluindo a declaração da nossa missão, contratos, estrutura e sistema de benefícios, pensariam que estávamos gerenciando um negócio que já existia há quarenta anos.

O cartel tinha menos papelada para as pessoas que não eram membros centrais. Recomendei a Gordo que o cartel subcontratasse assassinos e agentes.

"Não queremos ter essas pessoas como membros do seu cartel. Você quer ser capaz de se distanciar deles."

Assassinos e agentes têm menos lealdade à organização. Em vez disso, trabalham para quem oferece mais. Portanto, alguém que trabalha como assassino para um cartel, pode começar a trabalhar para outro cartel fazendo certos trabalhos.

"Queremos pagar aos nossos assassinos o suficiente para que não saiam para outro cartel. Jason pode nos ajudar a determinar uma taxa de mercado competitiva baseada nos padrões da indústria. Mas não queremos que nenhum assassino saiba muito sobre o nosso negócio. Precisamos de lealdade suficiente para que não se voltem contra nós. Mesmo que alguém decida falar com as autoridades, essa pessoa terá pouco conhecimento sobre o que fazemos", eu disse.

"Ricky, você acha que devemos ter um sistema de rotatividade?”

"Sim! É uma ótima ideia. Queremos ter uma rotação de assassinos que façam trabalhos diferentes", respondi.

Subcontratamos três gangues locais no México. Pedimos que as gangues só trabalhassem conosco. Os contatos de Oscar na MS-13 trabalhavam conosco no sul do México, já que a gangue tinha uma presença pequena no resto do país. No entanto, a MS-13 opera em mais de quarenta estados nos Estados Unidos e em Honduras, El Salvador e Guatemala. Assim, trabalhamos com os Olhos Loucos, Irmandade Mexicana e os Locos da Rua Quinze. Nunca quisemos que os nossos subcontratados soubessem muito sobre de onde operávamos.

Enquanto o nome do cartel é Segunda Geração Unida de Sinaloa, ele começou a se mover cada vez mais para fora da região. Nós tínhamos algumas operações nas montanhas, mas não queríamos competir diretamente com o cartel de Sinaloa, que tinha mais membros e era conhecido por sua violência implacável. Nos envolvemos mais na Cidade do México, porque era mais fácil para nos misturar, dada a grande população e o tamanho enorme dessa cidade. Gordo mudou o escritório principal para a Cidade do México.

Ele também comprou várias casas e apartamentos em bairros de classe média na cidade e estava passando mais tempo lá do que em Sinaloa. Jason e eu passávamos uma semana por mês no México. Apesar de estarmos ganhando mais dinheiro, continuamos a trabalhar do nosso pequeno escritório em Manhattan. O nosso escritório consistia em apenas nós dois. Não queríamos trazer outras pessoas para trabalhar nesse sofisticado empreendimento criminoso. Embora pudéssemos ter usado vários assistentes e uma secretária, não tínhamos ninguém em quem confiássemos o suficiente.

Tínhamos um problema legítimo.

"Alguma vez você pensou quando estava crescendo em Long Island que teria tanto dinheiro que não saberia como gastar?”

“Não.” Jason riu. "Sinceramente, nunca conheci ninguém que tivesse dinheiro. O meu pai chegava em casa cansado do trabalho na construção todos os dias. Ele estava sempre ficava para trás nas contas. Por mais que ele quisesse cuidar da nossa família e nos ajudar a melhorar o nosso status socioeconômico, ele lutava só para pagar o aluguel e manter as luzes acesas.”

"Mesma coisa aqui! O meu pai costumava me dizer que se sentia como um hamster em uma roda.

Por mais rápido que ele corresse, não conseguia acompanhar as contas médicas da minha mãe."

Jason e eu começamos a investir o nosso dinheiro em um portfólio diversificado.

"Ricky, você quer que eu te ensine sobre criptomoedas? Vou investir três milhões em Bitcoin."

"Obrigado. Para ser honesto, não entendo blockchain e Bitcoin. Sou da velha guarda. Vou comprar três apartamentos em Brickell, Miami Beach e em Key Biscayne. Verifiquei os três da última vez que estivemos lá. Metade dos edifícios em Miami Beach são propriedade de estrangeiros. Algumas das propriedades parecem cidades fantasmas. Falei com um dos meus contatos por lá, que me disse que as pessoas aparecem e pagam à vista. Ele me disse que não estão lavando dinheiro."

"Talvez eu devesse comprar um imóvel lá também. Falei com uma agente imobiliária. Posso te colocar em contato com ela. Há muitas unidades abertas prontas para as pessoas comprarem."

Jason e eu acabamos comprando sete apartamentos em Miami e três apartamentos de luxo em Manhattan. As empresas fantasmas tornaram mais fácil esconder o nosso dinheiro. Decidimos alugar algumas das nossas propriedades para ganhar dinheiro com os inquilinos. Queríamos profissionais vivendo nos imóveis, pois levantaria menos suspeitas.

Jason perguntou: "O que você acha do lava-jato em Long Island? Vi que acabaram de declarar falência."

"Isso é brilhante. Também estava de olho em dois salões de manicure."

Acabamos comprando dois lava jatos, um em Miami e o outro em Nova York. Um dos salões de manicure ficava no Queens, enquanto outros dois ficavam no Brooklyn e South Jersey. Salões e lava jatos são lugares perfeitos para lavar dinheiro. Não queríamos comprar bares ou outras boates. Em vez disso, nos concentramos em empresas médias, que geravam rendimentos estáveis e se misturavam na comunidade. Misturar uma pequena quantidade do nosso dinheiro sujo tornava mais difícil para o governo federal perceber as nossas atividades ilícitas.

Jason e eu não controlávamos as operações de nenhum dos nossos negócios. Tínhamos gerentes que não faziam ideia do que estávamos fazendo. Fazíamos aparições ocasionais para que os funcionários soubessem quem éramos, mas não queríamos gerir o dia a dia.

Apesar de o fluxo de receitas e as operações do cartel terem crescido exponencialmente nos últimos dois anos, evitamos detecção por todas as entidades da lei. Nem um único membro do cartel comprou carros extravagantes ou casas em bairros caros. Na verdade, um dos membros do cartel tinha uma família e dirigia uma minivan dilapidada.

"Jason, você acha que deveríamos sair?"

"Da cidade? Sim! Tenho trabalhado muito", disse ele, rindo. "Fora do negócio?"

"Fizemos dinheiro suficiente para duas vidas."

"Estamos construindo um império. Estamos cobrindo os nossos rastros. Eu não estou preocupado."

O dinheiro resolveu muitos dos nossos problemas e se tornou viciante.

Consegui pagar todas as contas médicas da minha mãe.

"Filho, estou tão orgulhoso de você", disse o meu pai com um sorriso enorme no rosto. "Sei que você encontrou algumas estradas esburacadas pelo caminho, mas você conseguiu."

"Obrigado, pai! Adoro poder cuidar de você e da mamãe."

Consegui comprar uma casa de praia em Jersey Shore para os meus pais. Também transferi dois milhões de dólares para que o meu pai brincasse no mercado de ações. Ele se demitiu e fundou uma pequena empresa de investimentos. Ele adorava usar o seu MBA e isso manteve a sua mente longe da deterioração da condição da minha mãe. Ela precisava de cuidados vinte e quatro horas por dia e era desgastante para ele vê-la sofrendo com dores extremas.

Presentear a minha mulher também me dava um prazer enorme.

"Jazmine, tenho uma surpresa para você. Espero muito que você goste!"

"Minha nossa. Eu adorei. É linda", exclamou ela, enquanto lágrimas começaram a rolar pelas suas bochechas coradas.

"Há algum tempo que te prometo uma nova aliança. Estou feliz por ter conseguido te dar o anel dos seus sonhos. Levou alguns meses para chegar, porque eles precisaram encomendar."

Consegui investir alguns milhões de dólares para os nossos bebês. Me dava muito orgulho que eles podiam escolher estudar na escola que quisessem. Também contratei um seguro de vida, para o caso de me acontecer alguma coisa. Consegui um planejador financeiro para a Jazmine, que geria o seu novo portfólio de quatro milhões de dólares.

Apesar de termos dinheiro, Jazmine adorava viver no nosso apartamento no Upper West Side. Eu lhe disse que podíamos comprar uma mansão em Westchester County, mas ela tinha o coração de uma garota da cidade.

Jazmine nunca precisaria trabalhar um dia na vida, mas queria contribuir para a sociedade. Ela havia sido aceita na Escola de Direito da NYU e queria começar sua própria ONG, ajudando as pessoas que procuravam asilo. Ela havia se tornado menos interessada em direito penal depois de ver o que aconteceu comigo. Decidiu que queria ajudar a fornecer serviços jurídicos para pessoas que não tinham recursos econômicos. Mais tarde, eu investi três milhões de dólares em um fundo que ajudaria Jazmine a abrir a sua própria clínica de imigração.

Jason comprou uma casa nova em Jones Beach para os seus pais. E também uma casa de férias na Carolina do Norte. Ele forçou os pais a tirarem passaportes e pagou um cruzeiro de três semanas pela Europa.

"Pai, você não precisa trabalhar. Quero que aproveite a vida", disse Jason.

O seu pai não sabia o que dizer, por isso apenas o abraçou. Ele nem conseguia falar.

"Eu sei, pai. Eu sei. Você pode finalmente descansar depois de tantos anos de trabalho duro. Quem disse que o dinheiro não te faz feliz? Faz sim." Jason riu.

"Pai, que tal um lugar em Key West? Você pode passear de barco todos os dias e pescar durante horas."

"Parece ótimo, filho. Estou tão orgulhoso de você."

Jason e eu não trocaríamos esses momentos por nada. Adorávamos apoiar as nossas famílias. Até começamos a doar dinheiro para algumas das nossas instituições de caridade favoritas, para ajudar crianças de origens marginalizadas. Nós fornecemos bolsas de estudo que ajudaram a pagar para que vinte estudantes frequentassem a faculdade. Até fomos convidados para nos encontrar com os alunos.

Esses momentos nos motivaram a trabalhar mais. Por mais que eu tivesse odiado estudar direito fiscal na faculdade, você pensaria que eu era um professor da matéria. Li dezenas de livros sobre o assunto para nos ajudar a evitar a detecção do governo e nos permitir usar os nossos recursos para ajudar as pessoas e as causas que apoiávamos.

36

"RICKY, O OSCAR CRUZ ESTÁ NO TELEFONE."

Estive ajudando Oscar a lidar com alguns problemas que ele e os membros da gangue do MS-13 estavam tendo em Nova York. A gangue era menos sofisticada e ganhava menos dinheiro do que os cartéis mexicanos. Jason e eu estávamos trabalhando com alguns líderes do MS-13, criando estratégias para aumentar as suas receitas e precisávamos aumentar os nossos esforços com eles.

"Oscar! Como vai a vida, meu amigo? Desculpe, não vi que você ligou. Estou na Cidade do México trabalhando em alguns projetos."

"Ei, cara! Como vão? Preciso marcar uma reunião quando você voltar para Nova York. Também precisamos da ajuda do Jason. Três membros do MS-13 foram presos durante uma batida policial.

São soldados leais e não vão dizer nada. Eu preciso de ajuda e quero arranjar um advogado para eles, porque estão sendo acusados de extorsão e fraude."

"Estarei de volta em Nova York amanhã. Podemos nos encontrar amanhã à noite? Vou levar o Jason."

"Onde você quer se encontrar?"

"No nosso escritório. Venha por volta das 20h, por favor."

"Te vejo lá, então. Boa viagem!"

Jason e eu viajamos de econômica saindo da Cidade do México. Podíamos ter evitado isso e voado de primeira classe. Na verdade, tínhamos dinheiro suficiente para fretarmos o nosso próprio avião. Só queríamos evitar chamar a atenção. Ninguém suspeitava que trabalhávamos para um dos maiores jogadores e estrelas em ascensão no submundo criminoso mexicano. Jason continuava a usar os seus calções de polo e se recusava a comprar óculos novos, e eu continuava a usar as minhas roupas normais. Nós não queríamos uma grande comitiva e nem um fã-clube.

Oscar chegou no nosso escritório e bateu à porta.

"Quem é?"

"É o Oscar." Abri a porta, já que o estávamos esperando. Raramente tínhamos muitos visitantes no nosso escritório, quanto mais pessoas batendo à porta às 20h."

"Jason, o Oscar está aqui."

"Ei, Oscar", Jason saiu com a sua nova *guayabera* favorita. "Oscar, você precisa de uma dessas camisas. Os cubanos fazem as melhores camisas. Adoro elas. Eu posso te dar o contato do meu conhecido. Quero que você fique elegante como o meu irmão", disse Jason, sorrindo.

"Você está muito maneiro, cara. Você é o professor de estatística mais bem vestido que conheço. Para ser claro, você é o único professor de estatística que eu conheço. Mesmo assim, você está ótimo! Adoro o estilo."

"Como podemos te ajudar, Oscar?"

"A minha gangue tem tido alguns problemas. Temos aumentado a extorsão. Porém, um ex-membro virou informante da polícia. Ele avisou sobre a nossa rede de extorsão em Astoria, no Queens."

"A polícia invadiu um esconderijo e tem colocado pressão na gente. As autoridades estão tentando que um pequeno empresário, um jovem dono de uma loja de bicicletas, testemunhe no tribunal. Fizemos uma visita a ele."

"Oscar, a extorsão ainda é 60% da sua receita?"

"Sim, correto. O tráfico é o resto."

"Estamos expandindo para um novo território

controlado pelos Bloods. Algumas pessoas se recusaram a fazer os pagamentos. Tivemos que enviar uma mensagem. Dois dos meus homens espancaram o dono de uma loja local. Eles queriam lhe dar uma lição. Não temos tido problemas para vender drogas, mas temos que expandir o nosso território e não podemos enfrentar resistência."

"Oscar, como está a contabilidade da qual conversamos? Você tem novidades para mim? Eu adoraria ver os dados", disse Jason.

Oscar entregou a Jason várias páginas de diário. Ele começou a analisar os números.

"Oscar, eu acho que precisamos pegar os seus lucros e começar a investir. Queremos aumentar a receita da gangue. Estou vendo aqui que você teve aumentos durante quatro meses seguidos, mas a receita caiu em quatro por cento no mês passado."

"Sim, é verdade. Algumas operações da polícia nos obrigaram a reduzir o tráfico durante duas semanas. Isso prejudicou nossos rendimentos finais."

Jason parecia um médico examinando a ficha de um paciente. Ele coçou o queixo. "Hmm. Isso é interessante. Vou recomendar que aumentemos a quantia de dinheiro na bolsa. Podemos diversificar o seu portfólio. Vamos manter as coisas simples e diversificar os investimentos. Estou vendo que o seu portfólio de ações está fazendo um bom dinheiro. Parece que os nossos investimentos em derivados estão compensando. Vamos redobrar. Esse é o caminho."

"Se você acha que isso é o mais indicado, então eu concordo."

"Precisamos que você faça dinheiro enquanto dorme. É preciso levar em consideração o fato de que temos que nos preparar para alguns dias de chuva e para operações policiais em potencial. Vou analisar alguns novos dados e ver quais os bairros que a polícia tem investigado. Tem o relatório que imprimi para você com os pontos críticos da polícia?"

Oscar sacou uma pasta e passou algumas fichas para Jason.

"Isso é ótimo", disse ele. "A polícia tem como alvo algumas zonas em Long Island e Astoria. Me deixe analisar os novos dados e ver se isso mudou na última semana. Vai levar cerca de cinco horas pelas nossas tarifas habituais. Tudo bem para você?"

"Oscar, também estive pensando uma coisa. Precisamos mudar a marca da MS-13. O que as pessoas acham de pagar cotas de extorsão?"

"Elas não gostam, Ricky. Eles acham que estamos cobrando impostos."

"Exatamente! Marketing, meu amigo. Precisamos mudar as percepções. Por que você não diz que vai providenciar segurança?"

"Não tenho certeza se temos pessoal para fazer isso, Ricky."

"Nada precisa mudar. Você controla quem entra no território e quem faz o quê, correto? Se certifica que outras gangues de rua não entrem sem a sua permissão? Você está mantendo a paz. Assim, você está fornecendo segurança, meu amigo. Tudo é percepção."

"Isso é brilhante", disse Jason, que parecia ter visto alguém explicar a ele um truque de mágica.

"Oscar, as pessoas nos bairros em que você opera chamam a polícia se tiverem algum problema?"

"Nem pensar! Eles não confiam na polícia."

"Exatamente! Eles podem ir até você se tiverem um problema sério de segurança que precisa ser resolvido. Vamos subcontratar a gangue. Ela pode ficar de olho no dono de uma loja. Isso, no entanto, não é de graça. Se eu aprendi alguma coisa em economia, é que não existe almoço grátis. NEAG, meu amigo."

"E podemos aumentar os nossos preços pelo serviço extra?"

"Exatamente!"

"A polícia está realmente atrás de gangues na cidade. Precisamos aumentar a sua renda, mas como o Jason disse, precisamos nos esforçar para ajudar você a aumentar a receita para investimentos legítimos e crimes do colarinho branco."

"Parece bom. Preciso coordenar com alguns líderes de El Salvador e mantê-los informados sobre as prisões mais recentes."

"Vamos nos manter em contato. Jason vai verificar os números. Me mande uma atualização sobre como as coisas acontecerem na próxima semana. Me ligue se tiver alguma emergência."

"Ótimo, Ricky. Eu te devo uma."

"Tome cuidado. Me mantenha informado."

37

PEDRO GÓMEZ ESTAVA SE ESTACANDO NA DEA NO México.

"Agente Gómez, cumpriu a sua missão e fez grandes coisas aqui no México. Há uma vaga para agente especial na Filadélfia, liderando a força-tarefa de ataque. Se você quiser voltar para os Estados Unidos e para a Filadélfia, me avise. Dou a minha recomendação e você pode partir em uma semana", disse Bob Williams, o chefe da operação na Cidade do México.

"Obrigado, senhor. Agradeço a ótima oferta. Mas eu acho que estamos realmente fazendo a diferença aqui no México. Acabei me apaixonando pelo país e pelo trabalho que estamos fazendo. Gostaria de ficar aqui e continuar trabalhando na nossa missão."

"Bom garoto! É exatamente disso que precisamos. Adoro agentes leais como você, que estão prontos para ajudar a derrubar bandidos. Se continuar com a gente, você vai administrar esse lugar em breve. Também podemos te indicar para uma ótima posição em Chicago, Nova York ou Washington, dentro de alguns anos. A DEA recompensa os que chegam ao topo. Também recompensamos lealdade."

"Obrigado, senhor! Eu agradeço."

Pedro havia se estabelecido bem na Cidade do México. Ele começou a namorar Jessica Uribe, uma mexicana americana que cresceu em Los Angeles, e se formou com mestrado em Artes e Relações Internacionais pela Faculdade Pública Woodrow Wilson de Relações Internacionais de Princeton. Jessica passou dois anos em Washington depois da graduação, mas subiu de posição e se tornou uma das principais conselheiras do embaixador dos EUA no México. Pedro a conheceu durante um evento na embaixada e foi amor à primeira vista. Eles saíram para um encontro três dias depois de se conhecerem e estavam namorando há seis meses quando Pedro recebeu a oferta de voltar para os Estados Unidos. Jessica não fazia ideia, mas ele a pediria em casamento em alguns meses. O anel já havia sido comprado.

Pedro não só gostava de passar tempo com a sua

nova namorada, como também estava aprendendo muito enquanto trabalhava para a DEA. Ele escreveu um relatório sobre o que aconteceu durante o ataque a Pérez Sosa em Guadalajara. O fato aconteceu no último minuto e o exército mexicano não estava adequadamente preparado. Eles acharam que Pérez Sosa estava sozinho no local. A DEA havia sido queimada pelo informante e o exército mexicano não teve tempo suficiente para se proteger.

"Esse evento foi um desastre, tanto para o México quanto para os Estados Unidos. Precisamos aprender com cada um dos pontos. Nesse relatório classificado, eu salientei as áreas que precisam melhorar. De fato, estamos aqui porque o governo mexicano nos convidou para participar. Assim, devemos sempre nos lembrar de que estamos operando em outro país. Embora haja alguns policiais muito honestos, a polícia local tem a maior parte dos problemas com corrupção. Precisamos continuar a ter muito cuidado ao compartilhar informações com eles. Quer dizer, nem a própria polícia federal mexicana compartilha informações com a polícia local. Por favor, se lembrem disso mesmo quando pensem que estão apenas tendo uma conversa inocente com alguns policiais", disse Pedro a um grupo de agentes da DEA.

"Quero repetir esse ponto", disse Bob Williams. "Como a parte mais importante da operação na Cidade do México, estamos envolvidos até o pescoço, senhoras e senhores. Vocês não fazem ideia de quantas ligações eu precisei atender depois do que aconteceu em Guadalajara. Tive que responder ao embaixador, ao chefe da DEA e até ao Secretário de Defesa. Imaginem! É essencial que sigamos em frente e continuemos a melhorar."

A DEA continuou a aumentar a cooperação com seus colegas mexicanos. O presidente Aguayo era um especialista em controlar a mídia. As pessoas queriam que ele resolvesse os crescentes níveis de violência e insegurança, assim como os profundos problemas estruturais da desigualdade econômica. Aguayo precisava que as pessoas esquecessem o que aconteceu em Guadalajara. Ele aprovou um grande projeto de reforma da educação e vários projetos de lei destinados a combater a corrupção.

A DEA também cooperou com os militares mexicanos, através do compartilhamento de inteligência, o que levou à captura de sete grandes chefes de vários cartéis. Aguayo concordou em assinar os papéis de extradição, mas, em troca, ele queria que o governo dos Estados Unidos aumentasse o financiamento para programas de reforma judicial no México.

"Ouça, eu agradeço todo o excelente trabalho que você está fazendo aqui para nos ajudar a combater o crime organizado", disse o presidente ao embaixador dos Estados Unidos. "No entanto, gostaria de me encontrar com o presidente dos Estados Unidos e enfatizar que o congresso deve redistribuir parte do financiamento. Oitenta por cento da ajuda externa que Washington concedeu ao país, através da iniciativa Plano México, foi projetada para os militares. Anunciei o meu plano para rever o sistema judicial a fim de diminuir a corrupção. Gostaria que o governo dos Estados Unidos nos ajudasse a financiar isso. Precisamos de mais recursos. Precisamos abordar as causas mais profundas do tráfico de drogas e do crime organizado. Como o nosso vizinho do norte, precisamos do seu apoio. Já recebi compromissos da comunidade internacional, incluindo a Espanha, a Finlândia e a Noruega."

"Sim, Sr. Presidente. Vou falar com meus colegas de outras agências e com o presidente", disse o embaixador dos EUA no México.

Aguayo recebeu o que queria. Quatro meses depois, os Estados Unidos concordaram em fornecer quatro bilhões de dólares em ajuda externa para apoiar o México a reformar seu sistema judicial. Em troca, o governo dos Estados Unidos queria que o México capturasse e extraditasse vinte membros do crime organizado, que eram procurados por tráfico de drogas e uma lista de crimes federais nos Estados Unidos.

Pedro, a DEA e os aparelhos de segurança sabiam qual era o trabalho. Eles estavam prontos para caçar os chefões e dispostos a viajar até os confins da terra para encontrá-los e obter justiça.

38

O CARTEL TEVE APREENDIDA UMA GRANDE quantidade de heroína e cocaína na fronteira EUA-México na segunda-feira. Jason continuava a atualizar os modelos todos os dias.

"Esse é o custo de fazer negócios. Precisamos esperar que alguns carregamentos sejam apreendidos", disse ele. "A chave é que usamos os dados para guiar nossas rotas."

Dado o número de carros que atravessam legalmente a fronteira EUA-México todos os dias, é impossível inspecionar aleatoriamente todas as quantidades de drogas que passam pelos postos de controle. Os dados ajudavam a determinar quais rotas os motoristas usariam para levar drogas para os Estados Unidos. Alguns dos motoristas tinham passaportes falsos, enquanto outros eram cidadãos americanos. Gordo e o cartel subcontratavam todos os motoristas. Nunca queríamos que o motorista soubesse quem era o fornecedor. Cada pessoa ao longo da cadeia de suprimentos era diferente para diminuir a possibilidade de que alguns soubessem demais. Tínhamos uma taxa de dez por cento de apreensões, o que era incrivelmente bom.

Gordo sabia que o presidente Aguayo queria mudar a narrativa sobre o narcotráfico e o crime organizado. Queria se distanciar dos seus antecessores e não usar a retórica da guerra às drogas. Ele queria mostrar à sua base que estava melhorando a situação da segurança no México, reduzindo a corrupção e fortalecendo a situação econômica.

Gordo usava seus contatos de segurança no governo mexicano para ajudá-los a capturar drogas traficadas por outros cartéis.

"Isso é como um jogo de xadrez", ele nos disse. "Não queremos jogar damas. Queremos jogar xadrez."

Ele pagou a cinco informantes um total de cem mil dólares, para revelarem informações sobre rotas de drogas de três grandes cartéis. Gordo então avisou as autoridades mexicanas.

"Essa informação tem um preço", disse ele aos seus contatos no aparelho de segurança Mexicano. "Por favor, se lembrem de que almoço grátis não existe, rapazes."

Aguayo queria mudar a mensagem, já que as pessoas estavam criticando a sua administração desde que um jornalista revelou que um dos seus principais funcionários de gabinete aceitou subornos quando era governador de Puebla.

O presidente usou a apreensão de níveis recorde de heroína projetada para os Estados Unidos para tirar a cabeça das pessoas do escândalo.

"Quero que as pessoas maravilhosas do México saibam que a minha administração está fazendo tudo ao seu alcance para limpar as ruas e combater o narcotráfico e o crime organizado. Acabei de ser informado que a Marinha mexicana registrou a maior apreensão de drogas da história do México. Conseguimos prender vinte soldados do cartel de Sinaloa nessa operação", disse o presidente em uma sala cheia de jornalistas. "Quero que os narcotraficantes saibam que a diversão e os jogos terminaram. A minha administração vai transformar o México", disse ele.

Gordo viu o discurso e sorriu. "Esse é o custo de fazer negócios, Ricky", ele me disse através de uma linha segura. "Essa administração está disposta a fazer concessões e negociar com certos cartéis se prometermos reduzir a violência. Temos que prosseguir com essa estratégia. Está funcionando!"

O que faltava a Gordo em títulos e diplomas importantes, ele tinha de sobra em esperteza das ruas.

Ele era um estrategista mestre e enxergava tendências antes de outras pessoas.

"Precisamos continuar fazendo a roda girar, Ricky", disse Gordo.

Ele trabalhou com Jason para criar uma base de dados com todas as pessoas que o cartel precisava subornar. Essa base de dados continuou a crescer à medida que o cartel crescia, mas isso fazia parte do negócio. Jason tinha três níveis de pessoas que precisávamos subornar. Os níveis mais altos consistiam em influenciadores e pessoas que tomavam decisões. Essas pessoas custam mais dinheiro, mas o cartel precisava pagar o preço certo para manter todos fora da prisão. O segundo nível consistia em burocratas de nível médio e intermediários. Precisávamos encontrar o ponto fraco financeiro para garantir que essas pessoas não denunciassem o cartel. Por último, eles precisavam pagar a inúmeras pessoas no campo, desde policiais locais até funcionários aduaneiros. Era uma lista muito longa, mas era essencial. Alguns dos policiais locais que tínhamos na folha de pagamento até ajudavam o cartel a mover as drogas.

Enquanto diferentes membros do cartel haviam conversado com Gordo sobre a possibilidade de expansão, ele enfatizou a necessidade de redobrar os esforços onde o cartel era forte e pensar fora da caixa.

"Precisamos fortalecer nosso poder e influência onde somos fortes. Não precisamos operar em todos os trinta e dois estados mexicanos", disse ele aos quarenta membros do cartel durante uma reunião.

Gordo tentava nunca ter todos os membros no mesmo lugar, ao mesmo tempo. Um dos escritórios na cidade mexicana tinha oito pessoas trabalhando, enquanto os outros membros do cartel ligavam a partir de linhas seguras.

"Jason e Ricky, conseguem me ouvir?"

"Sim, podemos."

"Quero que nós três viajemos para El Salvador. Grandes carregamentos de drogas estão sendo movidos através de Honduras e El Salvador. No entanto, precisamos ser diferentes dos outros cartéis. Há um novo presidente em El Salvador e precisamos falar com ele. Ele já trabalhou com a gangue da Rua18 no passado. Queremos fazer um acordo e negociar uma oferta da MS-13 para trabalhar com ele, em troca de nos permitir transportar drogas através de El Salvador."

"Quando você quer que a gente vá?"

"Estou marcando uma reunião. Se tudo correr bem, devemos voar em sete dias. Preciso que acertem as coisas do seu lado com o Oscar. Ele está ajudando a me conectar com a liderança da MS-13 em El Salvador. Quero ter certeza de que ele está na mesma página antes de irmos para lá."

“Sem problema. Vamos nos encontrar com o Oscar. Também temos alguns assuntos para discutir com ele.”

Oscar, Jason e eu nos encontramos no nosso escritório à noite. Oscar queria se manter discreto.

"Ei, Oscar! Como você está, meu amigo? Quer um café? Também temos água", disse Jason com um grande sorriso no rosto.

"Estou bem. Pode ser água. Estou tentando ser discreto.”

"Como vai a nova estratégia?" disse eu.

"Tem funcionado muito bem. Aumentamos a nossa receita de extorsão. Também conseguimos expandir o nosso portfólio no mercado de ações. A liderança da MS-13 em El Salvador está muito satisfeita.”

"Você tem os números? Eu adoraria dar uma olhada", disse Jason. "Me deixa dar um pulo no meu escritório e ver os números que eu analisei para você.”

"Como está a família, Ricky?" perguntou Oscar.

"Está tudo ótimo. Estou feliz por poder sustentar a minha mulher e os meus filhos lindos. O dinheiro resolve muitos problemas", respondi.

Jason voltou e Oscar lhe entregou os dados recentes. Ele começou a analisar os números. Ajustou os óculos e esfregou o queixo.

"Estão ótimos. São boas notícias. Você aumentou

a receita em vinte por cento nos últimos três meses. São excelentes notícias."

"Obrigado", respondeu Oscar.

"E a polícia? As coisas ainda estão quentes na rua?"

"Precisamos manter as coisas fora do radar. Tenho alguns garotos que gostam de usar a força e mostrar como são durões. Preciso manter os meus soldados na linha. Estou ficando velho demais para isso", disse Oscar.

"Pensou melhor sobre investir em Bitcoin? Tenho me dado muito bem com criptomoedas."

"Estou lendo o livro que você me deu. Ainda estou um pouco cético. Me chame de velha guarda."

"Oscar, queríamos nos encontrar com você para garantir a estratégia, antes de Jason e eu viajarmos com Gordo para El Salvador. Ele me disse que você está de acordo com o plano. Honduras tem tido muitos problemas. Você leu que o atual presidente de Honduras foi listado pela DEA como conspirador em um caso de tráfico de drogas? O irmão dele e quatro primos vão cumprir décadas atrás das grades em Nova York pelo crime. É uma loucura! Nossos informantes e a equipe de inteligência mostram que a DEA vai intensificar as operações e continuar a perseguir grupos criminosos de alto nível em Honduras."

"Concordo. Acho que é uma boa ideia. É muito

arriscado trabalharmos em Honduras agora. Gordo e o cartel não querem pisar nos calos de Sinaloa e dos Zetas. Ambos os grupos realmente aumentaram as operações em Honduras. Ouvi de um contato, que de dez a vinte aviões trazendo drogas aterrissam na região de Mosquitia todos os dias. Quanto tempo isso vai durar?"

"Exatamente", disse Jason. "Alguns dos programadores e eu trabalhamos em algumas projeções e modelos. Eu acho que Honduras é arriscado demais."

"El Salvador é uma boa oportunidade. Como você sabe, a MS-13 não tem uma boa relação com o novo presidente. Também tivemos uma relação muito ruim com os dois últimos. Para nós, essa é uma chance de alavancar nosso poder e aliança com Gordo e o cartel", disse Oscar.

"O que a liderança da gangue pensa disso?"

"Eles estão felizes. Eles também querem ter mais controle no sistema prisional. O último presidente separou muitos dos líderes de gangues e negou muitos privilégios. Eles realmente querem que os líderes presos mais importantes sejam transferidos para prisões menos rigorosas. Esse é um ponto que querem abordar", respondeu Oscar.

"Vamos viajar em alguns dias. Nos encontramos na volta."

"Está bem. Mantenham contato."

"Obrigado, Oscar! Continue com os ótimos números. Por favor, me envie as atualizações por e-mail e eu vou adicioná-las aos meus modelos estatísticos. De acordo com minhas projeções, seus números podem aumentar entre vinte e trinta por cento se permanecermos nesse curso", disse Jason, enquanto ajustava seus óculos grossos.

"Excelente, amigo. Fique bem."

Apertamos as mãos e Oscar voltou para a noite.

39

JASON, GORDO E EU PEGAMOS UM VOO COMERCIAL DE Miami para El Salvador. Havíamos combinado um encontro com o novo presidente de El Salvador, Jaime González, membro do partido de esquerda da Aliança Nacional Farabundo Martí há quarenta e quatro anos. González era um ex-comandante militar que subiu os escalões. Mais tarde ele serviu como senador, e foi convocado pelo partido para concorrer à presidência. Ele governava com uma plataforma de lei e ordem, uma vez que El Salvador havia se cansado dos altos níveis de violência e crime relacionados a gangues. A plataforma de González era dura contra o crime, já que sessenta por cento dos salvadorenhos acreditavam que a situação da segurança no país estava piorando.

Durante a posse, ele expôs o seu plano para o

país durante um discurso de cinquenta minutos. "El Salvador é um país lindo. Temos algumas das pessoas mais trabalhadoras do mundo. Me entristece que as elas estejam fugindo do país por causa da violência de gangues. Estou aqui para consertar isso", disse ele em frente a uma multidão de trinta mil pessoas. "Não podemos deixar que as gangues ditem o que fazemos. Estão prontos para uma mudança?"

"Sim, estamos", gritou a multidão.

"Estou aqui para reduzir a violência de gangues. Vamos dar prisão perpétua aos membros. Se precisamos construir mais prisões, que assim seja."

A multidão aplaudiu.

"Sabem o que mais precisamos mudar? Precisamos reduzir a corrupção. Os dois últimos presidentes roubaram centenas de milhões de dólares. Não podemos tolerar isso. Esse país precisa de alguém forte. Precisa de alguém que tenha disciplina. Estou usando as habilidades que aprendi no exército para reformar El Salvador. Vocês estão comigo?

"Sim, estamos", gritaram milhares de pessoas na multidão.

Enquanto o Presidente González jurava reduzir a corrupção, reportagens recentes divulgadas por um jornal local argumentavam que ele havia negociado com gangues enquanto era senador. Gordo gastou vinte mil dólares tentando descobrir o máximo de informações possível sobre o novo presidente. Ele pagou três ex-agentes de inteligência para produzir um relatório sobre o presidente e confirmou que ele realmente havia trabalhado com a gangue da Rua18.

Desembarcamos em El Salvador e um dos assistentes do presidente nos levou para uma casa nos arredores da capital San Salvador. Passamos por três postos de segurança e fomos até à última casa do quarteirão.

"Vou estacionar e levá-los até o escritório dele no segundo andar", disse Pablo, o assistente.

"Tudo bem", respondemos.

Saímos do carro e entramos na casa com ele.

"Que lugar lindo", eu disse a Jason.

Pablo nos levou até o segundo andar. O presidente entrou na sala e cumprimentou cada um de nós como se nos conhecesse há décadas.

"Cavalheiros! Como vão? É ótimo ver vocês. Bem-vindos a El Salvador. Vamos para a minha sala de conferências, há mais espaço lá. Querem beber alguma coisa? Eu sei que está muito quente lá fora", disse González, que estava vestido com um terno preto e gravata vermelha. O cabelo estava penteado para trás e o rosto sem barba. Ele acreditava na importância da aparência e se certificava de estar vestido à perfeição todos os dias.

"Água está ótimo. Agradecemos muito", disse Gordo.

Gordo insistia que mantivéssemos as reuniões profissionais. Ele permaneceu inflexível sobre não misturar negócios com prazer e nunca aceitava bebidas alcoólicas durante reuniões de negócios. Ele sentia que isso dava a impressão errada.

"Senhor, estou aqui com os meus dois consultores de Nova York. Temos algumas ideias que queremos propor. Acreditamos que podemos trabalhar juntos e criar uma parceria que ajude ambas as partes a alcançar nossos objetivos."

Gordo deslizou um pedaço de papel escrito cinco milhões de dólares através da mesa da sala de conferências. O cartel não trazia malas com dinheiro. Essa geração de traficantes queria dificultar a sua localização.

"O que vocês precisam em troca? Imagino que isso não seja um presente para a minha instituição de caridade", ele riu.

"Senhor, acreditamos que você pode usar a MS-13 para várias medidas de segurança. Sabemos que o senhor já trabalhou com a gangue da Rua18 no passado. Fizemos a nossa pesquisa. A gangue está dividida. Como sabe, ela se dividiu em duas facções rivais e são inimigas. A MS-13 é uma frente unida. Podemos subcontratá-los durante as eleições. Eles podem ajudar a conseguir votos, se é que o senhor me entende," disse Gordo, rindo.

"Não tenho lealdade com a gangue da Rua18",

disse o presidente González. "A verdade é que não confio em gangues. A população votou em mim porque quer que eu me livre delas."

"Sr. Presidente, estamos tentando transformar a forma como a gangue opera. Se o senhor trabalhar com a MS-13, vamos lhe dar informações sobre a gangue da Rua18, que podem levar à prisão deles. Sei que a população quer que o senhor aumente o número de membros de gangues atrás das grades."

"Como vocês farão isso?"

"Dinheiro! O dinheiro fala, Sr. Presidente. Temos algumas pessoas que estão descontentes com a gangue da Rua18 e querem sair. Eles vão nos informar sobre as grandes operações no campo pelo preço certo. Então, lhe daremos essas informações. Quando necessário, a gangue pode ajudá-lo a manter a segurança nos bairros. Vamos transportar mais drogas através de El Salvador para o México. A MS-13 ajuda a transportar uma parte das drogas para alguns dos nossos subcontratantes."

"Sr. Presidente, antes que o Jason mostre alguns dos nossos números, gostaria de reiterar o ponto de vista do Gordo e falar sobre outro fator importante. A MS-13 concordará em não atacar policiais ou militares nas zonas em que eles operam. Isso vai ajudá-lo a reduzir a violência, que é uma das suas iniciativas. Se você trabalhar com a gangue, eles farão tudo o que puderem para reduzir a violência."

"É disso que eu preciso. Estou disposto a trabalhar com a gangue por debaixo dos panos. No entanto, preciso que eles me ajudem a aumentar a segurança. Não posso tê-los matando policiais a cada cinco segundos. A mídia escreve sobre todas as coisas ruins que acontecem. Precisamos nos concentrar nas vitórias", disse González.

"Jason, por que você não mostra ao presidente González as zonas em que vamos operar e quais serão as mudanças?"

"É claro", disse Jason enquanto pegava uma série de mapas.

"Nossa! Vocês realmente mapearam tudo."

"Obrigado, senhor! O primeiro mapa mostra a presença das gangues. O segundo mapa mostra a presença da polícia. O terceiro mapa tem as taxas de extorsão a cada cem mil pessoas por área. Finalmente, o quarto mapa mostra a taxa de homicídios. Como o senhor pode ver, o território está claramente dividido. A frente única do MS-13 vai permitir que a gangue expanda o seu território. Além disso, as informações sobre as operações de gangues rivais ajudarão a derrubar a gangue da Rua18. Isso vai permitir à MS-13 trabalhar nessas zonas e manter a paz."

"Basicamente, a gangue vai nos dar informações e nós vamos deixá-los em paz enquanto a violência permanecer baixa?"

"Exatamente, Sr. Presidente", disse Gordo.

"Por favor, note que esses termos e condições podem mudar se a violência aumentar. Tivemos uma taxa de homicídios de mais de cem para cada cem mil pessoas há alguns anos. Não posso permitir que os homicídios voltem a subir nesse nível. Preciso que diminuam drasticamente. Foi por isso que as pessoas votaram em mim. Eles querem mudança. Não querem mais crime e violência."

"Ricky, por que não explica a nova estratégia da MS-13?"

"Sr. Presidente, temos consultado a gangue nos Estados Unidos. Como o senhor bem sabe, muitas das zonas onde elas operam têm pouca presença policial. Jason, pode me passar o mapa da polícia outra vez?"

"Aqui está." Jason deslizou o mapa pela mesa.

"Sr. Presidente, a gangue vai operar como um aparelho de segurança nessa zona. Estamos trabalhando com eles para reduzir seus níveis de violência. Sabemos que as pessoas não gostam da gangue por causa de extorsão e violência nos bairros. No entanto, a MS-13 pode fornecer serviços básicos de segurança, principalmente proteção, contra outras gangues e pequenos grupos criminosos que tentam entrar no território controlado. As receitas do tráfico vão ajudar a compensar a necessidade de tributar tanto as pessoas. Hoje, a gangue faz a maior parte da sua receita com extorsão", disse eu.

"Sr. Presidente. Esses primeiros cinco milhões são a nossa oferta inicial para os primeiros seis meses desse novo projeto. Se tudo correr bem e você gostar das condições, vamos oferecer mais dez milhões para o próximo ano", disse Gordo. "Vamos enviar o resto do dinheiro através de empresas fantasmas. Será quase impossível de localizar. Também podemos vender ações, se quiser. Depende do senhor. Seja como for, por nós tudo bem."

"Prefiro o dinheiro através das empresas de fachada. Tenho três no meu nome no Panamá", disse o presidente, enquanto coçava o queixo.

"Sr. Presidente, temos uma outra questão: a liderança do MS-13 indicou que gostariam que alguns dos seus principais membros se mudassem para prisões de segurança média. Em troca, eles darão informações que ajudarão a capturar o "El Rudy"."

Gordo tirou um diagrama que continha a liderança da Rua18. Ele tinha mais informações sobre a estrutura da gangue do que o FBI ou a polícia salvadorenha.

"Você sabe onde o Rudy está? Temos procurado por ele há meses", disse González.

"Sim. Nós o seguimos e podemos entregá-lo ao senhor em troca da transferência dos presos da MS-13."

"Parece bom. No entanto, não quero me comunicar diretamente com a MS-13. Quero me comunicar com vocês ou com intermediários. Não posso ter a imprensa bisbilhotando a cada cinco segundos para saber se estou trabalhando com a gangue. Se concordarmos com o nosso pacto, isso não só me ajudará nas pesquisas, mas vai ajudar nós dois."

"Sim, senhor", disse Gordo.

"No entanto, tenho um último pedido", disse o presidente. "Também preciso dos seus informantes para nos ajudar a apreender drogas da gangue da Rua18. Não me importo que alguns policiais façam vista grossa enquanto vocês traficam, mas preciso que a população veja que estamos ganhando a guerra contra as drogas. As pessoas que estão fora da política não percebem que é preciso quebrar alguns ovos para fazer uma omelete. Sou um ex-soldado militar. Você acha que eu não sei como são as coisas no campo? Fazemos acordos o tempo inteiro para o bem de todos. Podemos viver com o crime organizado. Não há um único país no mundo que não tenha crime organizado. Porém, não podemos tolerar os altos níveis de violência. Essa é uma estratégia de pacificação", acrescentou o presidente, como se estivesse fazendo um discurso a um grupo de generais.

"Nós entendemos e estamos dispostos a cooperar."

“Excelente. Temos um acordo.”

O presidente se levantou e ajustou a gravata. Ele apertou nossas mãos e deu uma batida nas costas do Gordo. "Vamos manter contato através dos nossos intermediários. Eles sabem como me contatar.”

Essa nova estratégia valeu muito a pena. Os líderes da MS-13 presos em El Salvador foram transferidos para uma prisão de segurança mínima e tiveram mais liberdade. Isso permitiu que a gangue subornasse os agentes penitenciários, que estavam em menor número e eram mal pagos. A liderança da gangue planejava as operações nas ruas enquanto estava atrás das grades. Eles também realizaram grandes reuniões com milhares de soldados da gangue dentro da cadeia.

Os informantes nas ruas entregaram informações à polícia e aos militares salvadorenhos. O governo elogiou a captura de dez dos principais líderes da Rua 18, bem como as apreensões de níveis recorde de drogas. A popularidade do presidente González aumentou para mais de oitenta por cento em poucos meses.

"Apreendemos drogas em níveis recorde. Estamos tirando a gangue da Rua 18 das ruas e colocando seus integrantes atrás das grades", disse González durante uma conferência de imprensa após uma das incursões. "Esse é o meu mandato como líder desse país. Foi para isso que vocês me elegeram. Estou mantendo a minha promessa de ajudar a transformar a sociedade. Precisamos acabar com as gangues. É exatamente isso que vamos continuar a fazer. Vamos retomar as ruas."

Jason e eu continuamos a consultar a liderança da MS-13 no campo. Nunca os contatávamos diretamente, mas sim através do Oscar. Jason tinha um tesouro de dados decifrando as atividades da gangue. Ela aumentou sua receita com o transporte de drogas e começou a investir o dinheiro em pequenas empresas em El Salvador.

Um dos líderes do MS-13 disse a Oscar: "Eu teria gostado muito mais de matemática e estatística se tivesse percebido o quão útil poderia ser. Talvez o Jason possa dar uma aula sobre como gerir uma gangue ou um cartel de drogas? Eu o auditaria." Ele riu.

Além disso, a transferência de rotas para El Salvador também compensou o cartel. A DEA continuou a atacar os traficantes de drogas que operavam em Honduras, fazendo com que fosse um lugar muito arriscado para realizar negócios. Jason continuou mapeando as interdições e usou os dados para determinar as melhores rotas para o tráfico. O cartel usava a MS-13 e outros subcontratantes que se especializavam em transporte para o tráfico de drogas de El Salvador para Chiapas, assim como de El Salvador para a Guatemala. O cartel subornou inúmeros policiais locais na fronteira entre a Guatemala e o México, para que as drogas fossem liberadas.

Os modelos estatísticos de Jason permitiram ao cartel determinar qual porcentagem de drogas seria enviada via terra, ar e mar. O cartel continuou a brincar com esse número para evitar a detecção por parte das autoridades.

40

"Entra no carro, Javier." Pedro Gómez e Johnny Mandel abriram a porta de um carro sem identificação. "Entra no carro. Vamos dar uma volta", disse Pedro.

"Eu não vou a lugar nenhum", gritou Javier enquanto começava a andar mais rápido pelas ruas da Cidade do México.

Pedro virou a mão para mostrar a Javier o distintivo da DEA no seu cinto.

"O seu pai vai para a prisão", gritou Pedro.

"Tudo bem! Tudo bem. Não quero que ninguém me veja", disse Javier.

"Entra", disse Pedro. O carro começou a andar pelas das ruas movimentadas da Cidade do México.

"Queríamos falar com você aqui porque é mais fácil para nos misturarmos do que em Sinaloa. O seu pai, El Flaco, foi preso essa manhã às 3h. Ele se achava tão esperto com aquele diploma em contabilidade. Apesar disso, está preso nesse momento."

"Não acredito em você. Eu não sou estúpido. Já acabamos aqui."

Pedro pegou o celular e mostrou a Javier um artigo publicado dois minutos antes.

"Era uma operação secreta. Avisamos a imprensa. Agora vai virar notícia internacional. Você sabe o que eles querem fazer com o seu pai? O governo dos Estados Unidos quer extraditá-lo. Quantos anos você acha que ele vai pegar, Johnny?"

"Prisão perpétua", respondeu Johnny. "Sem dúvida. O seu pai realmente gosta do México. Ele não quer ser extraditado."

"Ele não é um rato. Não vai falar nada", gritou Javier.

"Ele está disposto a cooperar, mas quer uma sentença reduzida. O seu pai abriu a boca vinte minutos depois de ser preso. Ele até falou de você e das suas atividades extracurriculares."

Javier não acreditava que o seu pai cooperaria com as autoridades. No entanto, El Flaco sabia que não queria passar o resto da vida na prisão. Ele achou que falar com as autoridades federais ajudaria ele e a sua família.

"O Pedro tem razão. Você pode nos ajudar, e você e o seu pai podem ter as sentenças reduzidas e novas identidades. A outra opção é não dizer nada e o governo mexicano extradita vocês dois. Pense nisso. Pode ir."

Javier saiu do carro.

"Mãos no alto", gritaram três agentes que os seguiram em um carro não identificado.

Os agentes algemaram Javier e o levaram para a delegacia. Ele sabia que podia passar o resto da vida na prisão, pois havia cometido uma série de crimes.

Johnny e Pedro foram até a prisão e conversaram com Javier.

"O que vai ser? Quer passar o resto da vida atrás das grades? Eles dizem que as prisões federais em Nova York têm uma pista de corrida muito boa", disse Johnny.

Ele tinha um estilo áspero e caótico. Fazia o policial mau, enquanto Pedro fazia o bonzinho.

"Nós podemos te ajudar. Você pode receber uma sentença reduzida. Só depende do que você está disposto a nos fornecer. Queremos saber sobre esse novo cartel importante para o qual você trabalha. A verdade é que vocês dominam as ruas. Mas ninguém sabe nada sobre vocês."

"Quero ligar para o meu advogado", afirmou Javier.

"Claro. Antes disso, quero que você ouça essa fita."

Pedro e Johnny mostraram uma gravação do pai

de Javier dando informações. Ele sabia que iria para a prisão por muito tempo.

"Estou disposto a falar. Só quero que proteja a mim e ao meu filho", disse o pai.

O pai de Javier continuou a cantar como um pássaro e fornecer informações às autoridades tentando evitar a extradição. Pablo Escobar tinha um velho ditado que dizia que preferia morrer em uma sepultura na Colômbia a viver o resto da vida em uma cela nos Estados Unidos. O pai de Javier sabia que ele poderia usar seu poder e influência para ter melhores condições em uma prisão no México, comparado a ser transferido para uma prisão de segurança máxima nos Estados Unidos.

"Ligue para o seu advogado. Só queríamos que você soubesse que não estamos blefando", disse Johnny.

Trinta minutos depois, Alex Lozano apareceu. Ele estava vestindo um terno de três peças e tinha o cabelo penteado para trás.

"Vocês dois estão assediando o meu cliente? Ele tem direitos. Não quero ter que apresentar queixa de que vocês estão violando as leis aqui no México. Isso não seria bom para a DEA."

"Não, senhor! O agente Gómez e eu estávamos tendo uma ótima conversa", respondeu Johnny.

"Me dê uns minutos para falar com ele."

"Sem problema. Nos avise quando estiver pronto."

O advogado entrou com Javier. "Estamos prontos para falar. Mas queremos saber as condições com antecedência. Queremos que a prisão perpétua seja retirada da mesa. Javier vai lhe dar informações sobre o cartel e as operações, mas não cumprirá mais do que cinco anos de prisão."

Nos dias seguintes, ele contou a Pedro e a Johnny informações sobre o cartel. A DEA queria se concentrar nos grandes jogadores, não nos peixes pequenos.

"Gabriel 'Gordo' Osorio é o líder da Segunda Geração Unida de Sinaloa. Ele quer revolucionar a forma como o crime organizado funciona no México. Ele não acredita em chamar atenção para o cartel. Ele contrata um bando de nerds que ajudam a tomar decisões com base em dados."

"É um bom começo, mas precisamos saber mais."

"Ele contratou dois gringos como consultores. Um deles é um estatístico e o outro é um ex-advogado. Trabalham em Nova York. Eles não são oficialmente parte do cartel, mas são uma parte integral da equipe."

"Me fale sobre esses caras. De onde eles são?"

"Esses caras não têm nada a perder. Um é um professor idiota de estatística. Vocês leram sobre o professor de Nova York que teve a posse negada e socou a cara do reitor?"

Pedro olhou para Johnny. "Você leu sobre isso? Não ouvi falar desse caso."

"Temos estado um pouco ocupados por aqui", disse Johnny.

"Jason White é um computador humano. Ele tem doutorado em estatística pela Universidade de Columbia. Está trabalhando como consultor e ajudando o cartel a tomar decisões com base em análises empíricas. Ele usa *big data* para recolher informações. Os algoritmos dele e as técnicas de modelagem estatística, determinam para onde o cartel deve enviar as drogas, a quantidade e quando. Ele atualiza os modelos todos os dias. É uma loucura."

"E o outro gringo?" perguntou Johnny.

"Vocês leram sobre o advogado de defesa que foi preso com cocaína no bolso? Cumpriu pena na prisão."

"Não me lembro. Você lembra, Johnny?"

"Vocês não leem os jornais? Foi uma história enorme", disse Javier. "Ricky Gold trabalhou como defensor público por alguns anos e depois saiu por conta própria. De acordo com ele, fez alguns inimigos na polícia depois que pegou um policial no banco de testemunhas mentindo sob juramento. As acusações foram retiradas. No dia seguinte, Ricky foi encontrado com cocaína no bolso do terno quando entrou no tribunal. Ele foi preso e depois expulso da ordem."

"Posso ter lido algo sobre isso", disse Johnny, que estava claramente mentindo.

"Ricky é o advogado do cartel. Ele nos ajuda a descobrir todas as formas de evitar o governo. Jason e Ricky ainda trabalham em Nova York. Estão felizes?"

"Quando será a próxima operação?"

Javier deu a Pedro e a Johnny toda a informação que eles queriam. Eles ficaram satisfeitos com a sua participação. Mais tarde, Javier passaria três anos na prisão e entraria para o programa de proteção a testemunhas. A cooperação do seu pai também levou a uma sentença reduzida de cinco anos, seguida por uma nova identidade.

41

A DEA UTILIZOU AS INFORMAÇÕES FORNECIDAS POR Javier e começou a rastrear Gordo de perto. Ele nunca pensaria, nem em um milhão de anos, que o seu melhor amigo o entregaria às autoridades federais. É incrível o que as pessoas fazem sob pressão do governo.

Gordo começou a se mudar entre várias casas e apartamentos na Cidade do México e Sinaloa. Ele não percebeu que a DEA havia colocado um localizador no seu carro e estava usando as coordenadas para determinar a sua localização. A DEA chamou o FBI para duplicar os recursos disponíveis para derrubar o cartel.

Javier continuou a dar informações à DEA sobre vários carregamentos importantes. Pedro estava em constante comunicação com a polícia federal e as forças especiais mexicanas.

"Rapazes, estão prontos para arrasar? Nosso informante nos disse que há um carregamento de cocaína vindo da Guatemala e chegando em Chiapas. Estou enviando as coordenadas do esconderijo nesse momento. Mantenham os olhos abertos. Esperamos que as drogas cheguem nas próximas duas horas. Estão todos localizados nas coordenadas designadas? Temos algum ponto cego?"

"Agente Gómez, estamos em posição e prontos para interceptar as drogas do cartel Segunda Geração Unida de Sinaloa."

"Excelente! Aguardem. Temos olhos no céu. Um dos nossos melhores drones está nos dando imagens aéreas."

Uma hora e meia depois, três carros chegaram ao esconderijo.

"É agora, rapazes. Preparem-se para avançar."

As forças especiais mexicanas e a polícia federal entraram. Arrombaram a porta e atiraram uma bomba de fumaça.

"Mãos ao alto. Mãos ao alto! Não se mexam. Estão cercados."

Os cinco homens ficaram bastante surpreendidos. Eles não lutaram e se renderam.

"Agente Gómez, apreendemos pelo menos vinte milhões em cocaína. Vamos trazer os suspeitos."

Os suspeitos só moviam as drogas e depois as

entregavam a outros grupos que iam de Chiapas para Tijuana através de três rotas diferentes. Gordo nunca quis que ninguém soubesse demais e esses motoristas estavam às escuras. As autoridades assumiram que eles estavam sendo leais, mas a realidade é que eles não sabiam de nada. No entanto, todos os três poderiam ser acusados de crime federal e cumprir vinte e cinco anos em uma prisão mexicana.

"Ricky, temos um problema", disse Gordo em uma das suas linhas seguras.

"O que aconteceu?"

"As autoridades interceptaram vinte milhões em cocaína no nosso esconderijo em Chiapas."

"Deixa eu ligar para o Jason."

"Jason, as autoridades prenderam vários motoristas. Eles não sabem muito. Temos que mudar as rotas de tráfico imediatamente. Os traficantes não sabem de nada porque eles só passariam as drogas para os próximos subcontratantes da cadeia de suprimentos."

"Gordo, é o Jason. Eu vou calcular novas possibilidades. Temos que evitar Veracruz, porque os Zetas aumentaram as suas operações lá. Me deixe analisar os dados e enviar alguns novos mapas de possíveis rotas."

"Gordo, eu não quero ser paranoico, mas acho que é muito provável que alguém tenha avisado as autoridades. Estamos subornando metade dos policiais locais em Chiapas. Recomendo que você troque de equipe no caso de haver um rato."

"Concordo. Vou trocar de equipe e falar com o Javier. Preciso que ele fale com alguns dos seus homens no campo."

Gordo não sabia, mas o seu melhor amigo era o rato.

"Me deixe falar com o Javier e depois te ligo. Jason, por favor, me envie os novos mapas e dados até o fim do dia."

"É pra já, chefe."

Gordo ligou para Javier para avisar da apreensão.

"Javier, temos um problema. As forças especiais e a polícia federal apreenderam vinte milhões em cocaína. Acho que temos um rato. Vou mudar a equipe e mudar as rotas de tráfico. Preciso que você fale com os caras no campo e veja o que está acontecendo. Temos que resolver isso imediatamente."

"Isso é terrível! Vamos chegar ao fundo disso. A imprensa já está envolvida?"

"Ainda não, mas tenho certeza de que vai ser uma história internacional. Isso é exatamente o que o novo presidente quer."

O presidente Aguayo fez uma conferência de imprensa uma hora depois de Gordo ter desligado com Javier.

"Senhoras e senhores, acabamos de apreender vinte milhões de dólares em cocaína vinda da Colômbia. Gostaria de agradecer às forças especiais e à polícia federal que interceptaram as drogas em Chiapas. Vamos limpar o México. Vocês me elegeram porque querem que eu resolva problemas difíceis. Isso requer fazer algumas escolhas difíceis. Isso é apenas o começo. Mais uma vez, quero que os traficantes de drogas entendam que a festa acabou. São 11h59min da noite e estamos prestes a chegar à meia-noite. Agora vou responder as perguntas dos repórteres."

Vários repórteres começaram a gritar perguntas.

"Sr. Presidente, sabe qual grupo traficava as drogas?"

"Senhor, quantas pessoas estiveram envolvidas nesta operação?"

"Por que Chiapas está vendo um aumento nas operações de tráfico de drogas?"

"As forças especiais capturaram algum líder durante a operação?"

"Um de cada vez, por favor. Não posso comentar uma investigação em curso. Saberemos mais sobre os eventos que aconteceram durante as próximas horas. O meu governo divulgará um relatório e um comunicado à imprensa. Falarei mais sobre os detalhes assim que tivermos mais informações. Mais uma vez, não quero comprometer uma investigação em curso."

"Os americanos estavam envolvidos?"

"Essa foi uma operação planejada?"

"Continuamos a trabalhar com nossos colegas nos Estados Unidos. Mais uma vez, não posso comentar sobre essa operação. No entanto, gostaria que todos soubessem que estamos tomando as medidas adequadas para apreender drogas e dar fim à criminalidade e à violência."

Gordo assistiu à conferência e convocou uma reunião com o cartel. Ele queria Jason e eu ao telefone.

"Isso é muito problemático. Temos que aumentar as nossas medidas de segurança. Precisamos redobrar os esforços e nos misturar. Preciso sair do México porque as coisas estão quentes. Também quero que todos troquem de telefone e se certifiquem de que atualizaram todos os seus dispositivos. Não faz mal perder carregamentos, mas não podemos continuar a ter esse problema. Falei com a liderança e estamos fazendo grandes mudanças nas nossas rotas de drogas. Também vamos fazer rotação entre os nossos parceiros de transporte. Não posso permitir que essas apreensões continuem, para o caso de que um dos nossos subcontratados não queira ser preso e decida avisar as autoridades. Todo mundo entendeu?"

"Sim, senhor", responderam os quarenta membros ouvindo no telefone ou sentados no escritório da Cidade do México.

"Outra coisa. Quero que trabalhem em casa nos próximos dias. Aqueles de vocês que estão em Sinaloa podem se mover entre as diferentes casas que o cartel tem, se necessário. Não chamem a atenção. Não precisamos de confrontos com outros cartéis. Temos que manter a violência em baixa."

"Também quero ver se uma das centenas de pessoas que subornamos em Chiapas avisou as autoridades. Vou colocar quatro investigadores particulares trabalhando nisso o tempo inteiro. Javier vai supervisionar esse processo. Se temos um vazamento, precisamos acabar com ele. Estamos fazendo muito progresso para estragar as nossas operações", disse Gordo com raiva.

42

JASON E EU VIAJAMOS PARA MIAMI. GORDO QUERIA que nos encontrássemos com um ex-paramilitar colombiano com profundas ligações políticas e uma longa história de tráfico de drogas. Jason vestiu a sua *guayabera* favorita e mocassins, e viajamos de econômica de Nova York para Miami.

"Ricky, eu tenho uma surpresa para você, meu amigo."

"O que é?"

"Consegui uma ótima promoção em South Beach e fiz um upgrade nas nossas reservas. Precisamos agradecer ao sistema de pontos do hotel. Eles fizeram um ótimo negócio pra nós. Eu li várias críticas e estou superanimado para ficar nesse lugar."

"Podíamos ter ficado em um dos nossos apartamentos vazios."

"Eu sei. Eu entendo, irmão. Mas só queria experimentar algo diferente. Esse é um hotel cinco estrelas com piscina e um ótimo spa. Aparentemente é o melhor. Precisamos aliviar o stress. Tem sido um período muito estressante."

Gordo ligou com más notícias.

"O meu voo foi cancelado. Houve um terremoto na cidade do México. Todos os voos foram cancelados", gritou Gordo.

Pedro havia viajado até Miami para capturar os consultores mais famosos do cartel. Jason e eu estávamos às escuras e não fazíamos ideia. Aterrissamos em Miami e fomos para o nosso hotel. Não fazíamos ideia do que nos esperava no dia seguinte.

Jason e eu acordamos cedo para conversar sobre a nossa reunião de negócios. Iríamos nos encontrar com Ariel Cruz ao meio-dia em um hotel em Homestead, perto de Everglades. Ariel pensou que seria mais fácil se esconder e evitar ser detectado marcando a reunião em um hotel mal-acabado próximo à região.

Pedro tinha uma equipe de trinta pessoas prontas para arrombar as portas. Ele havia coordenado tudo com o FBI.

"Pedro, se certifique de que o FBI não leve todo o crédito", disse Johnny, que não foi capaz de fazer a viagem porque precisou supervisionar outra operação de interdição importante no México.

"Pode deixar", disse Pedro, rindo. "Tome cuidado. Me mantenha informado sobre a operação." Pedro se despediu de Johnny e ligou para a equipe.

"Estão todos em posição em Homestead? É em frente ao Hotel Homestead Inn. Vou agora para lá em um carro não identificado. Temos três horas até a reunião começar. Precisamos analisar tudo. Esses caras não saberão o que os atingiu", disse Pedro.

Jason e eu decidimos ir a Homestead um pouco mais cedo. "Jason, você quer parar para um café cubano?"

"Sim! Adoraria. Você já foi no Posto de Resgate de Jacarés? Ouvi dizer que eles têm jacarés e crocodilos. Eu adoraria ir se tivéssemos uma chance", disse Jason, que parecia uma criança no corpo de um adulto. Ele adorava aprender e estava sempre pronto para uma nova aventura.

"Se a reunião correr bem, talvez possamos parar para ver os jacarés. Talvez possamos dar uma volta de aerobarco por Everglades. Sempre quis experimentar. Eu adoraria levar os meus filhos ao Everglades. Preciso trazê-los para cá de férias. Eles iriam adorar."

Chegamos ao hotel e batemos na porta duas vezes. Ariel abriu.

"Bem-vindos à minha humilde casa. Entrem."

"Muito prazer. Sou o Ricky e esse é o meu sócio

Jason. Gordo não conseguiu chegar, porque houve um pequeno terremoto na Cidade do México.”

"Ele está bem?”

"Ele está bem. Ele pediu desculpas por não poder vir.”

"Somos os consultores do cartel. Gordo e a organização gostariam de falar sobre as possibilidades de aumentar as operações na Colômbia. Acreditamos que o cartel tem recursos para duplicar a quantidade de cocaína traficada. Temos trabalhado com outros dois pequenos distribuidores e estamos pensando em mudar. Gordo disse que você foi altamente recomendado. O cartel quer trabalhar com alguém que tem ligações políticas e que pode nos ajudar a nos mantermos discretos.”

"Sou a pessoa certa. Tenho laços profundos com o ex-presidente colombiano e com a sua família.”

"Jason, pode mostrar os dados a ele? Jason é o nosso cientista de dados. Ele criou várias propostas que gostaríamos de discutir com você.”

Enquanto discutíamos as nossas opções de negócio com Ariel, Pedro dizia aos agentes no campo para se prepararem.

"Estão em posição. Estão todos prontos para ir? Grupo A, os lados do edifício estão cercados?”

"Sim, senhor."

“Equipe Firefox, estão prontos?”

"Prontos, senhor.”

"Olhos no céu, está tudo bem?"

"Estamos prontos para arrasar."

De repente dezenas de homens arrombaram a porta.

"Parados! Não se mexam. Mãos ao alto! Mãos ao alto! Não se mexam", gritaram os oficiais.

Jason tirou três bombas de fumaça e as atirou no chão. Ele havia lido dezenas de artigos e livros sobre habilidades de sobrevivência nos últimos meses. Decidiu levar as bombas para o caso de algo acontecer, depois das recentes operações que haviam ocorrido no México.

Jason correu para a janela e saltou enquanto as autoridades federais estavam tossindo e confusas. Ele empurrou um garoto de cima de uma moto, saltou e foi em direção a Everglades.

Os agentes pararam de tossir o suficiente para algemarem a mim e ao Ariel. Eles nos arrastaram para fora do edifício e leram nossos direitos de Miranda.

Como é que isso aconteceu, pensei, à medida que as algemas apertavam em volta dos meus pulsos. *Gordo tramou contra nós?*

Pedro gritou: "O professor escapou."

Quatro veículos e o helicóptero foram atrás do Jason. Eu nem sequer sabia que ele podia pilotar uma moto. Jason fugiu para Everglades e encontrou esconderijo embaixo das árvores.

A polícia o caçou. Ele era como a versão nerd do Rambo. Jason passou três semanas dormindo próximo aos jacarés em Everglades. Todas as suas leituras sobre técnicas de sobrevivência permitiram que ele escapasse das autoridades federais. Eventualmente, ele conseguiu se esconder em um barco que ia em direção à Cuba. Subornou vários oficiais cubanos e em seguida se dirigiu para as Ilhas Cayman, onde foi capaz de retirar dinheiro de uma das muitas empresas de fachada nas quais armazenava a sua fortuna. Ele havia investido o seu dinheiro sabiamente e estava disposto a correr riscos. Depois de vários anos trabalhando como consultor do cartel, ele fez mais de trinta milhões de dólares. Alguns investimentos arriscados em Bitcoin foram muito lucrativos e Jason valia mais de quarenta e cinco milhões de dólares.

Hoje há rumores de que Jason, que tinha vários passaportes falsos, está escondido na Bolívia, que não tem relações amigáveis com os Estados Unidos. Dizem que ele pagou ao presidente Martín Evo Nieto, quatro milhões de dólares para deixá-lo se esconder no país. Uma lenda urbana conta que Jason fez cirurgia plástica e que agora se chama Oscar White. Não sei se é verdade, mas alguém me contou uma vez que ele finalmente se casou com alguém na Bolívia e tem dois filhos.

Enquanto Jason escapava, Javier também entregou Oscar em troca de um ótimo acordo. O FBI prendeu Oscar em Nova York por uma lista de crimes federais. Ele se recusou a cooperar com as autoridades. O júri o considerou culpado e hoje ele cumpre prisão perpétua no norte do estado de Nova York. A polícia federal aumentou os esforços e desmantelou a gangue MS-13 que operava no Queens. Acusaram dez membros de homicídio.

Gordo, no entanto, conseguiu escapar. Ele ganhou a loteria criminal, usando seu poder e influência, para fugir para a Guatemala. Há rumores de que ele pagou ao presidente Orlando Morales dez milhões de dólares para deixá-lo se esconder no país Centro-Americano. Gordo acumulou uma fortuna de mais de sessenta milhões de dólares comandando o cartel. No auge das suas operações, a Segunda Geração Unida de Sinaloa arrecadou oitocentos milhões por ano. O cartel ganhou mais dinheiro comandando uma organização criminosa e ficar fora da prisão exigiu que eles pagassem cerca de cem milhões de dólares em subornos. O cartel subornou centenas de policiais locais, funcionários do governo e até agentes de alto nível.

O presidente Aguayo e o governo dos Estados Unidos pressionaram as autoridades da Guatemala para localizar Gordo. O governo dos Estados Unidos queria que Aguayo o extraditasse assim que ele fosse capturado.

Embora eu não tenha ouvido nada sobre Gordo desde que fui preso, alguns informantes afirmaram que o viram na Guatemala. Porém, outros membros do cartel, buscando um acordo com as autoridades, disseram que Gordo havia sido visto no Paraguai. Ele havia desaparecido há muito tempo e eu tinha certeza de que havia mudado de identidade.

43

Fiquei na cadeia em Manhattan durante meses e não conseguia parar de pensar em Jazmine e nos meus lindos garotos. A imprensa não perdeu tempo e me chamou de advogado do cartel. Havia jornalistas batendo nas portas para falar comigo. A prisão recebia centenas de cartas. Alguém queria que eu lhe vendesse os direitos para escrever um livro sobre a minha vida. Outras pessoas queriam me entrevistar para um filme.

Saul Greenberg, o meu velho amigo da faculdade de direito, concordou em me defender. Ele se encontrou comigo na prisão para discutir a minha próxima audiência.

"Ricky, o governo acha que você é um risco de fuga. Eles acham que você vai fugir da cidade e se esconder em Cuba para o resto da vida. Não é possível conseguir fiança."

"Eu entendo. Já imaginava isso. Quer dizer, eu estava viajando pelo mundo. Viajei mais nesses últimos anos do que toda a minha família viajou na vida. Engraçado como as coisas funcionam."

"A imprensa está tendo um dia em cheio. Estão realmente malucos. Todo mundo está tentando ser o primeiro a cobrir a história. Estão tentando ter acesso à prisão para entrevistar você. Eu disse que você não vai dar entrevistas. Sei que não preciso dizer isso, mas não quero que você fale com ninguém."

"Eu sei. Não direi nada a ninguém. Confie em mim, os meus lábios estão selados."

"Uma última coisa: você sabe disso do seu tempo como advogado, mas eu só quero lembrá-lo que precisamos ter cuidado com a comunicação na prisão. Lembre-se que as linhas estão sendo gravadas. Se ligar usando o telefone da cadeia, por favor, tenha muito cuidado. Mais uma vez, eu sei que você sabe disso melhor do que ninguém, mas só queria te lembrar uma última vez. Tive um cliente outro dia que ligou para a namorada e lhe disse para esconder a caixa azul no quarto. A polícia invadiu a casa no dia seguinte. Encontraram drogas suficientes para mantê-lo preso para sempre."

"Isso é uma loucura! Não se preocupe, vou ter

muito cuidado. Felizmente, eu sei como isso funciona, meu amigo. Agradeço por me lembrar. Sei que você só está fazendo o seu trabalho."

"Eles concordaram em manter você na solitária. Essa é uma prisão dura e, acredite ou não, o seu caso é muito importante. Quero ter certeza de que você está protegido. Não quero outros reclusos tentando te matar. Sei que a solitária é difícil para as pessoas, tanto física como emocionalmente. Você precisa manter a cabeça firme. No entanto, acho que isso é o melhor para a sua segurança. É isso que mais me interessa. Não quero que nada te aconteça aqui."

"Obrigado, cara. Eu concordo. Pelo menos terei muito tempo para pensar aqui." Eu ri.

"Fique forte, Ricky!"

Mais tarde, o procurador-geral realizou uma conferência de imprensa de uma hora.

"Lembram-se de Ricky Gold, o ex-advogado de defesa de Nova York? Ele está agora na prisão e enfrenta a possibilidade de uma sentença para a vida toda depois de servir como advogado de um dos cartéis mais poderosos do México. A vida do Sr. Gold sofreu uma mudança drástica passando de ex-advogado de defesa para o advogado de cartel, responsável pelo transporte de toneladas de heroína e cocaína para as ruas dos Estados Unidos", informou o *Wall Street Journal*.

"Ricky Gold, um ex-advogado desacreditado que foi expulso da ordem em Nova York, usou as suas habilidades para se tornar o advogado de uma poderosa organização que tem traficado drogas nas ruas dos Estados Unidos e ajudou a fomentar a epidemia de opioides", disse o procurador do distrito sul de Nova York. "Queremos garantir que Ricky Gold pague pelos seus crimes e passe o resto da vida atrás das grades. Queremos que isso seja uma lição de que o crime organizado não compensa. Você não pode enganar o governo federal. Vamos descobrir o que você fez e colocá-lo na prisão para o resto da sua vida. O parceiro do Sr. Gold, Jason White, está foragido. Se tiver alguma informação sobre ele, por favor, entre em contato com as autoridades. Por último, gostaria de agradecer ao agente Pedro Gómez, e à sua equipe da DEA, por esse excelente trabalho. Eles estão fazendo um grande trabalho ajudando a colocar criminosos, como o Sr. Gold, atrás das grades. Obrigado, Pedro. Gostaria de pedir ao Pedro para subir e dizer algumas palavras."

"Obrigado, Sr. Procurador. Quero agradecer pelas suas palavras. A DEA é composta por muitos agentes trabalhadores que atuam fora do radar. Graças ao trabalho árduo dos homens e mulheres que trabalham na DEA em todo o mundo, conseguimos derrubar a liderança desse cartel. Como o procurador disse, ainda estamos à procura do Dr.

Jason White e de outros três líderes do cartel. No entanto, continuaremos a trabalhar com os nossos parceiros de interagências nos Estados Unidos e com os nossos colegas na América Latina. Esse é um momento fantástico para a DEA e os nossos agentes trabalhadores que atuam nas Américas. Gostaria de agradecer à nossa equipe. Um agradecimento especial ao meu parceiro, Johnny Mandel, que não pôde estar na conferência de imprensa devido a outras obrigações urgentes. Agora, eu gostaria de dar a palavra ao chefe de polícia da Cidade do México, que tem algumas palavras a dizer."

Eu havia me tornado uma sensação internacional. Algumas pessoas entenderam a minha história. Outros me rotularam como um monstro e um vilão.

Por que não arranjei um emprego normal? Eu poderia ter sido feliz trabalhando em construção, pensei. Racionalizei o que fiz durante muitos anos porque estava apenas tentando sustentar a minha família. As circunstâncias da vida criaram um desespero extremo. Pessoas desesperadas fazem coisas desesperadas. Eu estava lidando com o fato de que ficaria preso durante anos.

O que mais me doía era a minha família e todo o mal que eu lhes causei. Jazmine se recusou a falar comigo, porque não acreditava que eu havia mentido sobre a minha operação de consultoria. Ela era tão orgulhosa de mim e ficou comigo durante os tempos difíceis. Tentei ligar, mas ela se recusou a falar comigo. Os meus pais também foram esmagados. O stress de ler as notícias fez com que o meu pai tivesse um ataque cardíaco. Ele estava no hospital se recuperando, enquanto eu estava na prisão. A saúde da minha mãe continuou a piorar e a notícia da minha prisão fez com que ela caísse em uma depressão profunda. A sua capacidade cognitiva continuou a diminuir e ela faleceu antes da minha sentença. Embora eu esteja muito triste pela sua morte, sei que ela está em um lugar melhor. Nunca serei capaz de me perdoar por toda a dor e sofrimento que causei aos meus entes queridos.

Os procuradores queriam me mandar para a prisão para o resto da vida.

"Ricky, não há saída. Precisamos fazer um acordo. Você sabe que essa é a nossa única opção", disse Saul.

"O que eles querem, Saul?"

"Querem que você denuncie os funcionários corruptos. Você tem informações sobre o Jason White?"

"Não faço ideia de onde ele está. Vai ser difícil localizá-lo. Ele é um gênio em esconder dinheiro. Não posso entregá-lo."

"E outros oficiais de alto nível?"

"Não tenho problemas em entregar o prefeito corrupto de Miami. Não sou leal ao Mark Blunt. Ele é apenas mais um funcionário corrupto que vive uma vida dupla cheia de mentiras e hipocrisia."

"Mais alguém?"

"Sim! Posso entregar o governador de Guerrero. Ele é um dos oficiais mais corruptos do México."

"Eles também querem saber mais sobre o cartel. Javier deu alguns nomes. Você pode falar sobre a estratégia do cartel? Querem saber como vocês operavam."

"Tudo bem! Mas não quero cumprir mais de vinte e cinco anos."

"Eles vão querer saber sobre todos os seus bens. Estão tentando vasculhar todas as suas contas e fazer você perder tudo."

Eu havia compilado um valor líquido de cerca de vinte e cinco milhões de dólares. Consegui esconder o meu dinheiro tão bem que o governo só conseguiu localizar dez milhões. As empresas fantasmas e o complexo sistema de lavagem de dinheiro que usamos se revelaram eficazes no fim das contas. Jazmine e o meu pai poderiam ficar com o dinheiro deles, pelo menos até as autoridades federais descobrirem onde escondi o resto dos meus ganhos.

Fiquei na cadeia por sete meses antes da minha sentença.

"Ricky, você está pronto? A sentença sai amanhã. Temos que mostrar ao juiz que você lamenta o que fez. Você não é um chefão das drogas, meu amigo. É um cara que foi mastigado e cuspido pela sociedade. Você fez isso para ajudar a sustentar a sua mulher e os recém-nascidos. Precisamos apelar para o coração do juiz. Quando estiver praticando o seu discurso essa noite, lembre-se de que é tudo sobre te humanizar. Queremos que vejam que você não é um monstro. Enquanto estiver lendo o discurso, precisa se lembrar de que você é um homem que viveu tempos difíceis e fez escolhas ruins para tentar sobreviver."

"Estou tão pronto quanto posso estar. Vou continuar praticando o meu discurso essa noite."

"Ótimo!"

"Saul, estaria mentindo para você se dissesse que não estou nervoso. Estou aterrorizado. Mas não se preocupe. Vou ser forte e farei um discurso apaixonado para mostrar por que fiz o que fiz."

Saul Greenberg havia tentado obter cartas de amigos e ex-professores falando sobre como eu era uma boa pessoa. A maioria me virou as costas. Ele recebeu algumas cartas de antigos clientes que falaram sobre como eu os ajudei em tempos difíceis. No entanto, a minha família se recusou.

"Fiquem de pé! Está aberta a sessão. Preside o honorável Juiz Speakman", disse o oficial de justiça.

"Por favor, sentem-se. Estamos aqui hoje para a

sentença de Richard Gold. O procurador e a defesa concordaram em uma apelação. Está correto?"

"Sim, senhor. Correto."

"Prisão perpétua sem possibilidade de liberdade condicional foi descartada", disse o juiz. "O governo federal pede prisão perpétua, enquanto a defesa pede vinte e cinco anos."

"Está correto", disse o procurador.

"Começaremos com o procurador."

"Meritíssimo, estamos pedindo ao tribunal que condene Richard Gold, que é conhecido por Ricky, à prisão perpétua. O Sr. Gold envergonhou a profissão legal. Como pode notar a partir da sua extensa ficha, ele foi expulso da ordem. Ele já foi condenado e cumpriu pena na prisão. Ricky Gold poderia ter aprendido a lição depois da primeira detenção. Ele poderia ter se candidatado a um emprego e trabalhado no mundo real. Em vez disso, escolheu se tornar advogado de cartel, para uma das organizações de tráfico de drogas mais poderosas do México. Ricky Gold, junto com o Dr. Jason White, ajudou a revolucionar o submundo do crime no México. Cerca de setenta mil pessoas morreram nos Estados Unidos devido a overdose de drogas no ano passado. O Sr. Gold trabalhou com o cartel para ajudar a aumentar a quantidade de heroína, fentanil e cocaína traficadas para os Estados Unidos. Meritíssimo, quero pedir ao tribunal que faça do Sr. Gold um exemplo. Acreditamos que ele merece passar o resto da vida na prisão."

"Obrigado, Sr. Procurador. Sr. Greenberg, a palavra é sua", indicou o juiz.

"Obrigado, Meritíssimo", disse Saul. "Eu gostaria de fazer alguns comentários e então o Sr. Ricky Gold vai fazer uma declaração. O Sr. Gold sabe que o que fez foi errado. Ele está se declarando culpado das acusações e quer começar um novo capítulo na sua vida. Gostaria que o tribunal reconhecesse as circunstâncias que levaram o Sr. Gold a se envolver no crime organizado. O Sr. Gold foi expulso da ordem. Se tornou consultor de uma organização criminosa para ajudar a sustentar a mãe doente e o pai sobrecarregado de trabalho. Todos viraram as costas para o Sr. Gold. Ele se candidatou a centenas de empregos. No entanto, ninguém queria lidar com alguém com ficha policial. Não aprovo o comportamento dele. No entanto, o que aconteceu aqui é uma ilustração do nosso sistema de justiça criminal. Dizemos às pessoas para servirem suas sentenças e depois se tornarem membros produtivos da sociedade. O Sr. Gold realmente tentou. Ninguém o ajudou. Ele tinha uma mulher grávida e contas se amontoando. Viu essa oportunidade como algo para ajudar a sustentar sua família. Ele é humano e cometeu um erro. Mas participou em operações criminosas porque a sociedade lhe fechou as portas. Meritíssimo, gostaria de apontar as cartas escritas sobre o Sr. Gold. Ele tem alguns ex-clientes que falam sobre a sua paixão e vontade de ajudar as pessoas. Pedimos clemência ao tribunal ao condenar o Sr. Gold."

"Sr. Gold, quer dizer alguma coisa? O tribunal está pronto para ouvi-lo", disse o juiz enquanto ajustava os óculos.

Fui até ao banco, ajustei a gravata e me sentei. "Obrigado, Meritíssimo. Sou uma pessoa que teve uma vida boa como advogado, até que tudo desmoronou depois que enfrentei a polícia de Nova York. Fui sabotado por autoridades que plantaram drogas em mim. Embora eu não possa provar, vou manter essa afirmação até o dia da minha morte. Isso levou à minha prisão. Acredito que diferentes atores poderosos trabalharam juntos para me expulsar da ordem após o incidente no tribunal com o agente Barry Green. Fiz o que fiz para sustentar os meus gêmeos e a minha querida esposa. Sinto muito. De verdade. Sei que a minha vida acabou. Sei que a minha família nunca mais falará comigo. Quero pedir desculpas a todos os que estão ouvindo. Sou apenas um homem que cometeu um erro. A sociedade fechou as portas depois que fui preso. Estou implorando que tenha piedade da minha alma, Meritíssimo", eu disse, quando os meus olhos começaram a se encher de lágrimas.

"Obrigado pelo seu testemunho. Li as cartas de apoio. Estou levando em consideração o que o procurador-geral quer, bem como o que é melhor para o público. O senhor escolheu seguir um caminho muito sombrio. As suas ações causaram enormes danos não só à segurança e à saúde pública dos EUA, mas também ao México e a outros países da região. Eu o condeno a vinte e cinco anos na prisão federal", disse o juiz.

As lágrimas começaram a rolar pelas minhas bochechas.

"Guardas, por favor levem o Sr. Gold. Sessão encerrada."

Os guardas se aproximaram e colocaram as algemas nos meus pulsos. Havia cerca de vinte grandes meios de comunicação na sala. Os fotógrafos e as câmaras captaram cada momento, enquanto os guardas me levavam de volta para a minha cela.

"Hoje, o juiz condenou Ricky Gold a vinte e cinco anos de prisão. A sentença veio depois que o procurador e a defesa concordaram em reduzir as acusações depois que o réu cooperou com o governo federal. O procurador dos EUA originalmente queria prisão perpétua sem possibilidade de liberdade condicional", disse um repórter para a câmera.

"Ricky Gold disse que foi forçado a se envolver no submundo do crime depois do que aconteceu com o oficial Barry Green. Ele afirma que a polícia plantou cocaína nele, o que levou à sua prisão. O Sr. Gold e o seu advogado argumentaram que ele é um produto do sistema de justiça criminal – um sistema que eles acreditam estar em extrema necessidade de reforma. O Sr. Gold pediu perdão e disse que a sua vida havia acabado", disse outro repórter para a câmera.

44

"INTERNO GOLD! DOBRE OS LENÇÓIS. VOCÊ VAI partir. Está na hora das algemas. Não queremos problemas com você."

"Para onde estou indo?" Estava na cela há uma semana. Ainda não sabia para onde ia. O sistema prisional era conhecido por manter os reclusos no escuro.

"A prisão federal em Newark."

"Você disse Newark ou Nova York?"

"Newark! A prisão federal de Nova York está superlotada. Não se preocupe, você vai se divertir lá. É uma prisão de segurança máxima. Muitos dos seus colegas traficantes de drogas estarão lá com você. Você vai se encaixar bem, meu amigo", disse o agente.

O guarda me escoltou e me algemou à outro recluso. Havia mais vinte internos na prisão que seriam transportados.

"Internos! Não se mexam. Não conversem. Isso não é um passeio ao cinema. Não queremos que causem nenhum problema", ladrou um dos oficiais.

"Entrem na porcaria do ônibus", gritou outro.

Eu queria desabar e chorar, mas sabia que não podia. Os reclusos se aproveitavam dos que viam como fracos. Eu precisava me manter forte. Saul Greenberg me disse na noite anterior que Jazmine havia pedido o divórcio. Ela disse a Saul que não queria que os seus filhos visitassem o pai na prisão federal.

Enquanto o ônibus se movia pelas ruas de Nova York, me lembrei de um dia quente de verão, quando levei Jazmine e os garotos para tomar sorvete no Central Park. Sorri, lembrando como o sorvete derretia pelos rostos dos meus filhos. Me lembrei do som das suas vozes quando riam histericamente e corriam atrás de alguns pombos que tentavam roubar migalhas das suas casquinhas.

Como pude estragar tanto a minha vida, pensei. *Por que não saí mais cedo? Nunca verei os meus filhos crescerem. Não vou poder ensiná-los a jogar beisebol ou basquete. Vou perder os bailes de formatura e as graduações. Não vou poder ajudá-los a escolher a faculdade que querem frequentar. Por quê? Por que fui tão estúpido?*

Fui trazido de volta à realidade quando o ônibus

saiu da prisão e entrou nas ruas de Nova York. Esse ônibus tinha alguns grandes jogadores do submundo do crime, por isso estávamos rodeados por sete carros da polícia e dois helicópteros.

Me sentei calmamente e pensei na vida. *Como isso aconteceu?* Sentia tanta falta da Jazmine. Não suportava a ideia de nunca mais voltar a vê-la ou os meus filhos.

"Apreciem a vista da cidade de Nova York, cavalheiros. Essa será a última vez que vocês a verão durante muito tempo."

Olhei pela janela e a minha vida passou diante dos meus olhos. *Como minha vida mudou de um garoto vivendo em Carl Place para trabalhar como advogado de cartel?*

O ônibus chegou na prisão de segurança máxima em Newark.

Estou muito longe de casa, pensei. *Bem-vindo ao inferno, Ricky.*

AGRADECIMENTOS

Gostaria de agradecer à incrível e dedicada equipe da editora Next Chapter. Estou eternamente grato por essa oportunidade. Também quero reconhecer e agradecer à minha família, colegas e amigos por lerem vários rascunhos desse livro e me darem seu feedback. Hanna Kassab, Juan José Quintanilla, Patrick Testa, Jeffrey Rosen, Deborah Rosen Evans, e Lynne Rosen forneceram excelentes comentários que me ajudaram a melhorar o manuscrito. Um agradecimento especial a Robert Ficociello por suas fantásticas edições e sugestões. Sou eternamente grato aos meus pais, Deborah Rosen Evans e Jeffrey Rosen, pelo seu apoio ao longo dos anos. Finalmente, obrigado à minha mulher, Karina Castillo Vargas, pelo seu amor e apoio.

Caro leitor,

Esperamos que você tenha gostado de ler *O Advogado do Cartel*. Reserve um momento para deixar uma crítica, mesmo que curta. A sua opinião é importante para nós.

Jonathan D. Rosen e Next Chapter Team

BIOGRAFIA

Jonathan D. Rosen é professor de justiça criminal. Publicou 20 livros sobre tráfico de drogas, crime organizado, gangues e violência. Ele vive em Nova Jersey.

O Advogado Do Cartel
ISBN: 978-4-86747-672-7
Edição de capa dura com impressão grande

Publicado por
Next Chapter
1-60-20 Minami-Otsuka
170-0005 Toshima-Ku, Tokyo
+818035793528

25 Maio 2021

Lightning Source UK Ltd.
Milton Keynes UK
UKHW012044110621
385375UK00001B/61